西垣通 著
Toru Nishigaki

Fundamental Informatics Ⅲ: Life beyond Machine

新 基礎情報学

機械をこえる生命

NTT出版

新 基礎情報学——機械をこえる生命

目次

新 基礎情報学——機械をこえる生命

序

反ホモ・デウスのために

復活したトランス・ヒューマニズムの亡霊

21世紀に入って、デジタル技術にもとづく情報社会はかつてない新たな様相をおびるようになった。インターネットを介して急激に拡大するグローバリゼーションと、これに対抗する世界各地のポピュリズムの勃興は誰の目にも明らかだが、根底に西洋の伝統的な「トランス・ヒューマニズム（超人間主義）」があることをわれわれはとかく見落としがちだ。それは論理的な普遍知という明るい進歩主義的側面とともに、文化的な多様性をおしつぶす絶対的権力支配という暗い側面ももっている。平たく言えばユダヤ＝キリスト一神教的な思想に他ならない。

情報技術的には、東西冷戦が終結した１９９０年代のインターネットの国際的普及とビジネス利用がこういった変化を準備したわけだが、とりわけ２０００年代後半以降、ウェブ２・０によって一般人の誰もが容易に情報発信できるようになったことは特筆にあたいする。歴史上これまで、こういった事態が起きたことはなかった。ビジネス、政治、文化などあらゆる分野で、地位も権力ももたない普通の一般人が国境を越えて互いに交流し、活動する可能性がひらけたのである。集合知やオープンサイエンスといった民主的な知のありかたも、理想主義的な文脈で語られることになった。

しかし現実には、いわゆる「アラブの春」の例を引くまでもなく、必ずしも一般人の自由や幸福をこの変化が保証したわけではなかったのである。確かにインターネットの中のデータ量は驚くほど増した。だがデータを適切に有効活用できるか否かはまた別の話である。中東地域の政治的混乱だけでなく、グローバル経済を牽引してきた先進国においても、ビッグデータを活用できる層とできない層のあいだで経済格差がたちまち拡大した。その反発として、後者のあいだで排外主義／独裁主義を渇望する声が生まれ、インターネットの中で激しく渦巻きはじめた。平和で民主的なグローバルツールだったはずのインターネットが、暴力的かつ非民主主義的なツールとして用いられているのである。

２０１０年代後半に始まったＡＩ（人工知能）ブームは、ひとまず、こういうジレンマを解決する切り札と見なされているといっても過言ではない。端的には、ＡＩつまりコンピュータが膨大なビッグデータを超高速で自動処理し、適切な判断をくだしてくれるというわけだ。国際的なコミュニケーションには言語の壁があるが、これもＡＩが自動的に翻訳してくれるという。このほか、自動運転だの介護ロボットだの、マスコミからは明るい夢を伝えるニュースが連日のように届けられる。

なかでも、シンギュラリティ（技術特異点）仮説はもっとも楽観的な議論に他ならない。これは米国の未来学者レイ・カーツワイルの著書『ポスト・ヒューマン誕生（*The Singularity is Near*）』［★01］によって広く知られるようになったが、２０４５年頃に人間をしのぐ知性をもつＡＩが誕生し、人間は脳のスキャンニングつまりマインド・アップローディングによって不死性を獲得できるようになる、などといった驚くべき仮説である。人間の脳の能力は神経細胞の量や反応速度などによって生物学的に制限されているので、日進月歩で指数関数的に進歩するコンピュータには所詮かなわない、というわけだ。ここには、論理的に構成された宇宙／世界を解明する神的な知、人間を凌駕しうる絶対的な知なるものが存在し、機械がこれに近づいていくというトランス・ヒューマニズムの思想がはっきり表れている。その意味でユダヤ＝キリスト一神的な思想とも言えるであろう。

　シンギュラリティ仮説は、日本ではともかく欧米で広く受容され、なかには熱狂的な信奉者も少なくない。ただし、機械が人類をしのぐ日を信じながらも、カーツワイルのようにオプティミスティックではなく、むしろ機械が人類を滅ぼすかもしれないというペシミスティックな文脈で語られることもある。明暗いずれになるか、何年先になるかはともかく、やがてシンギュラリティが到来するという点では、欧米の人々のあいだで、ある種の合意がみられると言ってもよいのではないか。

　その代表格として、イスラエルの歴史家ユヴァル・ノア・ハラリのベストセラー『ホモ・デウス』［★02］があげられる。これは主に技術的変化をふまえて人類史を鳥瞰したものだが、７万年前の認

［★01］Kurzweil, R. *The Singularity is Near*, Viking Adult, 2005.［井上健（監訳）、小野木明恵＋野中香方子＋福田実（共訳）『ポスト・ヒューマン誕生』ＮＨＫ出版、２００７年］

［★02］Harari, Y. N. *Homo Deus*, Harvill Secker, 2016.［柴田裕之訳『ホモ・デウス　上下』河出書房新社、２０１８年］

知革命、1万2000年前の農業革命、500年前に開始された科学革命をへて、今やコンピュータ処理による新たな革命が起きつつあると述べる。近代は人間の価値を大切にする「人間至上主義」の時代だが、これが終焉してデータとアルゴリズムが最重視される「データ至上主義」の時代になると予言する。これはまさにシンギュラリティ以後の世界に他ならない。ハラリはカーツワイルと違ってこの革命を手放しで歓迎するわけではないが、もはやその変化を押しとどめることは難しいと考えるのだ。そして新しい時代には人間が二種類に分断され、データを操作できる「デウス（神）」のような少数のエリート階級と、大多数の無用者階級からなる近未来社会が出現するという。

確かにハラリの予言するような時代の兆候はある。人間が宇宙に植民地をつくったり、バイオ工学によって長寿を授かったりする光明面もないではないが、むしろ暗黒面のほうが目につく。新自由主義的なグローバル経済の発展とともに近代国家の統制力が相対的に衰え、大衆を操作する怪しげなフェイクニュースが飛び交う政治的現状はその兆候の一つであろう。また、巨大企業の近視眼的な利益追求の陰で、海洋や熱帯雨林などの地球環境が猛スピードで汚染され、多数の生物種が死滅していくありさまも、その兆候の一つと言えるかもしれない。2020年に人類を襲った新型コロナウイルス感染症をグローバル経済と結びつける声もある。

それにしても、トランス・ヒューマニズムによって、もし大多数の人間が無用者階級におちぶれるなら、それはテクノロジーの悪用といえるのではないか。

ＡＩをめぐる難題と混乱

いったいハラリの予言するような近未来社会の到来は必然的なのであろうか?——哲学的には、トランス・ヒューマニズムを支えるのは西洋の古典的な形而上学である。宇宙/世界は神が創造した厳密な論理体系をなしており、したがってそのなかのあらゆる存在は論理的に分析することができるという考え方だ。数学者アラン・チューリングやジョン・フォン・ノイマンが考察したように、コンピュータはもともと論理計算機械であり、ＡＩはその純粋な応用に他ならない。だから、ＡＩが人間と同じく思考できるのは当然ということになる。コンピュータが処理速度においても記憶容量においても進歩改善を続けている以上、ＡＩの知力が人間をしのぐという議論は、してみるとまったく不自然ではない。

しかし、過去をふりかえると、こういうトランス・ヒューマニズムの議論は二つの大きな問題点をかかえていることがわかる。第一は理論的問題点であり、古典的な形而上学は近代哲学による批判にさらされてきたということだ。人間は推論する理性をもっているものの、知覚器官をはじめ生物学的特性のため、宇宙/世界の存在に絶対的にアクセスすることは不可能であり、あくまで人間というフィルターを介して相対的にアクセスできるにすぎない。神のように宇宙/世界を観察することはできないのだ。こういう考察を徹底的におこなったのは言うまでもなくカントであり、その批判哲学を受け継いだフッサールの現象学である。現代哲学の基盤にあるこういう相対主義を無視して、神が眺めているような客観的な宇宙/世界を想定するのは、素朴実在論という粗雑な謬見に他ならない。現代科学のなかには無意識にせよ素朴実在論への信念があるが、物質科学ならともかく、人間の思考を分析対象とするなら、これは禁物なはずだ。ところが大半のトランス・ヒューマニストやコンピュータ関係者、脳科学者などは素朴実在論の信奉者なのである。客観的世界のなかで人間の思考も物質的関係に還元され、生物と機械の境界線もぼやけていく。

第二は、現行ＡＩはまだ、人間社会の実践的な課題を十分解決できるとはかぎらないということだ。論理的推論は確かに人間の思考の重要な部分ではある。だが、人間は論理的推論だけでなく、身体的直観だの暗黙知だのを駆使し、多様な体験にもとづいて社会の問題を解決しているのだ。医療データにもとづく病名診断や、複雑な外国語文献の翻訳などといった行為は、単に記号を用いた形式的／機械的な推論操作だけで実行可能なわけではない。いかに高性能であろうとコンピュータに実行可能なのは、記号で表現されたデータの形式的／機械的な論理演算に限られるのである。

ＡＩブームは１９８０年代にも起こったのだが、これが挫折したのは、専門的知識を組み合わせて問題を解決するという人間の行為が、病名診断にせよ機械翻訳にせよ、形式的／機械的な推論操作だけではないからだった。表面上は論理的な知識命題のように見えても、そこには意味解釈上の余地がふくまれている。したがって、自動的に推論操作をおこなうＡＩのみで解決できる問題は少ない。平たく言えば、ＡＩには、記号のあらわす「意味」を把握できず、さらに、現実の問題を厳密な「形式的枠組み」にはめこむことは困難なのである。両者はそれぞれ、「記号接地問題」「フレーム問題」と呼ばれる。

トランス・ヒューマニズムは以上のような、理論と実践にかかわる二つの問題点をかかえており、それは現在なお未解決なのである（詳細は省くが、実は両者は関係しており、１９８０年代の実存哲学者や現象学者からのＡＩ批判には、記号接地問題やフレーム問題もふくまれていると考えることもできる）。

では、２０１０年代以降の現行ＡＩブームは一体なぜ起こったのか？——ＡＩ学者のなかにはすべての問題が解決し万能ＡＩが出現したような幻想をふりまく者もおり、これがトランス・ヒューマニズムの復活をもたらした。だが、これは誇大宣伝で、真相は、ＡＩが自動推論から統計計算に軸足をうつしたことなのだ。コンピュータは論理演算機械であり、論理的には正確無比なデータ処理を実行する。このことが、人間に代わって「正確な思考」を実行してくれる機械としてのＡＩへの期待を高め、また挫折をもたらした。だが、今回のＡＩブームでは、コンピュータがデータの統計処理をおこなって「だいたい合った結果を出せばいいじゃないか」と目標を巧みに変換したのである。たとえば、外国語の文章の正確な機械翻訳は困難だとしても、似たような文章の原文と訳文のペアをたくさんデータベースに蓄積しておき、統計的頻度の高い訳文を出力する、というわけだ。

人間の翻訳でも間違いはあるし、「論理から統計へ」という目標変換をいちがいに非難することはできない。ただし、ＡＩが誤った出力を実行する可能性があるからには、その対策をとることを忘れてはならないはずだ。たとえば外交文書の機械翻訳による誤訳のために国際紛争が起きたら、いったい誰が責任をとるのか。統計処理は広い分野で有効に見えるが、正しく社会的に活用するのはそれほど簡単ではない。「コンピュータは正確だ」という一般人の常識を盾にとり、経済効果を狙っていたずらに万能感をあおるのは、ＡＩという工学技術の望ましい使い方から遠いのである。

現在のＡＩブームに火をつけたのは、学習型の「深層学習（Deep Learning）」と呼ばれる技術の進歩である。これは画像や音声、文字列などの記号パターンを神経網モデルで統計的に分類する技術で、昔から研究されていたものの、効率が悪すぎて実用に耐えなかった。ハード／ソフトの長足の改良によってこれが実用化されたのは嬉しいニュースである。だが、たとえＡＩがたくさんの画像データを統計処理して猫の顔を認知したところで、それはＡＩなりに画像パターンを自動分類しただけで、猫という生物の社会的概念つまり「意味」を把握したわけではない。近代言語学の鼻祖ソシュールが述べたように、記号のもつ意味は言語共同体ごとに多様なのである。ＡＩ学者でさえこの点を明確に理解していないことが、ＡＩをめぐる現在の議論のうちにひどい混乱を招きいれてしまった。そして、テクノロジー信仰とともにトランス・ヒューマニズムという亡霊がよみがえってきたのである。

二つのパラダイムそしてネオ・サイバネティクス

本書の主要目的は、トランス・ヒューマニズムの誤りを指摘し、ハラリの予測するようなディストピア（反ユートピア）を回避する方途を理論的にさぐることにある。

実は、コンピュータが発明され情報科学が芽生えた１９４０年代後半、回避の先鞭はすでにつけられていたと言ってもよい。この頃に、情報の学問を導く二つのパラダイムが提唱された。第一はコンピュータの情報処理にもとづく「コンピューティング・パラダイム」、第二はサイバネティクスにもとづく「サイバネティック・パラダイム」であり、初期の提唱者はそれぞれ、ジョン・フォン・ノイマンとノーバート・ウィーナーという二人の天才数学者である。デジタル技術が発達した現在、前者のほうが後者より圧倒的な影響力をもっていることは紛れもない事実だ。とはいえ、後者こそは、ハラリのいうディストピアを回避する理論的糸口をあたえるパラダイムだと言える。そして基礎情報学は後者に立脚する学問なのだ。

第一のコンピューティング・パラダイムは、論理演算の可能性を純粋に追求するよううながす。20世紀前半には、ラッセルとホワイトヘッドの『数学原理（*Principia Mathematica*）』に代表されるように、厳密な思考を記号論理で体系化する方向性が脚光をあび、数学を論理学に包含する数学基礎論の研究も盛んにおこなわれた。こういう動向と軌を一にするのがこのパラダイムである。汎用チューリング・マシンという理論モデルをつくったチューリング、このモデルを具体化したプログラム内蔵型コンピュータを設計したフォン・ノイマンは、ともに数学基礎論の研究者でもあった。現行のデジタル・コンピュータこそは彼らの理想を実現する機械であり、ＡＩはまさにその核心技術として位置づけられる。ＡＩ（Artificial Intelligence）という言葉が最初に唱えられたのは１９５６年のダートマス会議だが、そこで『数学原理』に書かれた論理命題のかなりの部分がロジック・セオリストというＡＩプログラムによって自動的に証明された。このことは、ＡＩがコンピューティング・パラダイムの嫡流であることを象徴している。

肝心なのは、コンピュータ処理にもとづくこの第一のパラダイムの前提は宇宙／世界の客観的な観察記述である、という点だ。まるで、神のように宇宙／世界の万物を眺めるわけで、西洋の古典的な形而上学の流れをくむ素朴実在論に近いと言えるであろう。これに対して、サイバネティクスにもとづく第二のパラダイムは、宇宙／世界を観察記述する主体の多様な「視点」を前提とする。主体がいわば主観的に眺めている宇宙／世界のありさまにもとづいて、その主体がいかにその機能を継続発展できるかを探究していくのだ。

ここでいう「主体」とは何かといえば、ただちに生物が思い浮かぶ。人間だけでなくあらゆる生物は自分なりの視点から周囲の世界を認知観察し、これにもとづいて生命活動を続けている。そこに出現するのは、生物の知覚や遺伝、記憶などから構成される独自の宇宙／世界（生物学者フォン・ユクスキュルのいう環世界）に他ならない。これは人間でも同様であり、われわれ個人は各自、それぞれ異なる主観世界に住んでいる。サイバネティクスとは、観察する主体が構成する多様な宇宙／世界に立脚し、主体同士の相互コミュニケーションに注目する学問である。すなわちサイバネティック・パラダイムは、唯一の客観世界を前提とするコンピューティング・パラダイムとはまったく異なり、生物の多元的な主観世界を前提とするパラダイムである。前者では生物と機械の境界線はぼやけるが、後者では両者を分かつ境界線がはっきり表れる。

ところで、このことは一見、サイバネティクスに関する社会的通念と矛盾するのではないであろうか。生命器官と機械部品が混交した「サイボーグ」という言葉に象徴されるように、サイバネティクスとはむしろ生物と機械の境界線を無くし、生物の脳神経をどこまでも機械的作動に近づけていく学問だという常識があるからだ。この誤解は、サイバネティクス誕生の経緯と関連している。ウィーナーは第二次大戦中、飛来する敵の飛行機をいかにして高射砲などで撃墜するか、という軍事的課題と格闘していた。この研究はやがてミサイルによって敵機を追跡し破壊するという課題につながっていく。ミサイルの作動は鷲や鷹などの猛禽類が獲物の鳥を捕獲する作動に近い。ミサイルも鷲も、対象（敵機や獲物）を神のように客観的に見下ろして論理的に最適解を計算するわけではなく、みずからが得た主観的な限られた情報から対象の動きを予測し、フィードバック制御で距離を縮めていくのである。つまり、サイバネティクスとは、主体の視点から観察した、偏見や誤解の可能性もある限定された認知世界という前提のもとで、主体が最適行動をとるための学問なのだ。宇宙／世界を限定された観点から眺めるという点で、これは、形而上学を批判したカントの哲学と共通性をもっており、工学的に素朴実在論を克服する契機をあたえたと言えるかもしれない。

ただし、１９４０〜60年代の古典的サイバネティクスにおいては、生物と機械の境界線は明確とは言えなかった。ウィーナーは負傷兵の義手の研究をおこなったが、そこでは電子回路と脳神経系の接合が企図されたのである。とはいえ、人間の意図にしたがって手が動く以上、生物と機械をめぐるより深い考察が不可欠だった。こうして１９７０〜80年代に出現したのが、「ネオ・サイバネティクス」に他ならない。システム論的には、ネオ・サイバネティクスは「客観的な、観察された（observed）世界の分析」から「主観的な、観察する（observing）世界の分析」への学問的転換をもたらしたと言われるが、そこでは観察し記述する視点が徹底的に問われるのである。ウィーナーの衣鉢をついでネオ・サイバネティクスを構築したのは、物理学者のハインツ・フォン・フェルスター、生物学者のウンベルト・マトゥラーナとその弟子フランシスコ・ヴァレラ、社会学者のニクラス・ルーマン、心理学者のエルンスト・フォン・グレーザーズフェルド、文学者のジークフリート・シュミットなどだった。

主観的な観察は独りよがりの偏見や誤解を招き、そのままでは学問とはなりがたい。ゆえに主観的な観察行為をさらに観察する、という「二次観察」の操作が不可欠となる。このことをつきつめたのがフォン・フェルスターの「二次サイバネティクス」だった（二次観察によって相対化できるので、三次以上の観察は理論的に不要となる）。二次観察の概念を導入して近代社会の成り立ちを明晰に論じたのがルーマンの「機能的分化社会理論」であり、その仕事によってネオ・サイバネティクスは、文理の壁をこえて一挙に学界の注目を集めた。だが、基礎情報学に最大の影響をあたえたのは、マトゥラーナとヴァレラの提唱した生命哲学「オートポイエーシス（自己創出）理論」である。これは機能的分化社会論にも導入され、日本には科学哲学者の河本英夫によって１９９０年代初めに紹介された[★03]。まさにオートポイエーシス理論こそ、生物と機械を隔てる境界線をシステム論的に明示化したといっても過言ではない。

オートポイエーシスとは「自分（オート）で自分を創る（ポイエーシス）」ことである。この点は人間によって設計製造される機械とははっきり異なる点だ。しばしばＡＩロボットは「自律型機械」と呼ばれるが、オートポイエーシス理論によればこれは明白な誤りに他ならない。細胞をふくめあらゆる生物は、自己準拠的にみずからの構造や作動ルールをつくりあげながら生きており、これが「自律性（autonomy）」という特徴をもたらす。一方あらゆる機械は、たとえ学習によって作動が調整され自律的な「印象」を与えようと、構造や作動ルールを外部から規定される他律的存在なのだ。

こうして、オートポイエーシス理論から、トランス・ヒューマニズムを打破する糸口が見えてくる。トランス・ヒューマニズムはコンピューティング・パラダイムと重なっており、生物と機械の相違を認めようとはしない。シンギュラリティ仮説のマインド・アップローディングは、人間の脳神経を電子回路と等価できるからこそ可能となる。ホモ・デウスが君臨する近未来社会は、人間がデータでありアルゴリズムで処理できるからこそ出現するのだ。だが、人間がＡＰＳ（Autopoietic System／オートポイエティック・システム）でＡＩとは本質的に異なる存在だとすれば、そんなことは不可能となるのである。

基礎情報学から見た〝人間＝機械〟複合系

とはいえ、オートポイエーシス理論にもとづいてＡＩブームの諸問題を論じようとすると、大きな困難があらわれる。それは「情報（information）」という概念と深くかかわっている。ＡＩが情報技術の一環である以上、この点を避けて通ることはできない。

情報という概念を明示し、その量的側面を確率論にもとづいて厳密に論じたのは、ウィーナーやフォン・ノイマンと同時期に活躍した通信工学者クロード・シャノンである。シャノンが１９４８年に発表した論文は、今なお専門家のあいだで情報の基本理論として認められており、画像圧縮などの技術で応用されている[★04]。だが、シャノン情報理論は完全にコンピューティング・パラダイムにもとづいており、サイバネティック・パラダイムをふまえてはいない。シャノンはベル電信電話研究所で、文字や音声などをいかなる電気信号に変えれば効率よく送受信できるかを研究していた。つまり、データ（記号）の正確な伝送が目的で、それが人間にとって有する意味内容には関知しない。だから「情報」といっても注目するのは記号的側面だけで、扱う対象は「機械的な情報（データ）」のみなのである。しかし、論文が抽象的に書かれていたため、大きな誤解が生まれてし

［★03］Maturana, H. R. and Varela, F. J. *Autopoiesis and Cognition*, Reidel, 1980.［河本英夫訳『オートポイエーシス』国文社、１９９１年］、および、河本英夫『オートポイエーシス』青土社、１９９５年、などを参照。

［★04］Shannon, C. E. and Weaver, W. *The Mathematical Theory of Communication*, Univ. Illinois Press, 1949.［植松友彦訳『通信の数学的理論』ちくま学芸文庫、２００９年］

まった。シャノン理論であらゆる情報を扱えるという信念が出現したのである。

一般人にとって大切なのは、データ（記号）自体よりむしろ、「社会的な情報（記号とそれが表す意味内容）」に他ならない。情報とは何らかの有用な価値をもっており、人間が知りたいことを教えてくれるものなのだ。価値とは本来、個々の生命的な主体にとっての重要性だから、「生命的な情報（生きる上で重要なこと）」が根源にあると言ってもよい。「意味（significance）」とは、もともとそういう生命的な概念ではなかったか。意味というと「記号があらわす何か」といった言語的／辞書的なイメージがあるが、これは生命的な意味から派生した二次的産物にすぎない。辞書的な意味は、社会的生物である人間が生命的な意味を効率よくコミュニケートしあうための便宜的ツールであり、絶対的なものではないのである。

だから情報の学問においては、機械的な情報だけでなく、より広く社会的な情報、さらにその根源にある生命的な情報までを対象とすべきなのだが、シャノン理論ですべてが語れると思い込む人は、情報処理の専門家のあいだでさえ少なくないのだ。この理由として、通常のコンピュータ処理はデータ（記号）の形式的処理なので、シャノン理論だけで不都合はない、という点があげられるであろう。

だが、ＡＩが登場するとき、この前提は崩れ去る。仮にＡＩを「人間のように思考する自律機械」と見なし、それが社会的判断をしたり、外国語を翻訳したりできると主張するなら、ＡＩがデータ（記号）のもつ「意味」を扱えることは必要条件となるであろう。実際、半世紀以上にわたって、ＡＩ研究者は「意味分析」に挑戦し続けてきた。その多大な努力は、しかしながら、十分に成果をあげたとは言えない。記号接地問題やフレーム問題がいまだに超難問とされているのはその証拠である。

この根本的な原因は、現行ＡＩが第一のコンピューティング・パラダイムのみにとらわれ、第二のサイバネティック・パラダイムの知、とくにネオ・サイバネティクスを等閑視している点にあるからだと考えられる。意味とは生命的な価値であるとすれば、機械に意味を把握できるはずはない。それはオートポイエーシス理論から明らかである。

オートポイエーシス理論によれば、生物はそれぞれ、主観的な世界を自律的に構成しつつ、環境のなかで生きている。生物はＡＰＳ（オートポイエティック・システム）であり、外部からの指示ではなく自己に準拠して作動するから「（構成的な）閉鎖系」に他ならない。だから環境から刺激が加わると、それを自分なりに「意味解釈」して、自分の世界を再構成することになる。われわれが恋人から電子メールを受けとり、その内容をあれこれ考えて結論を出すのは意味解釈の好例だ。脳という記憶装置にデータを流し込むのとは違うのだ。

こうして、基礎情報学に求められる責務が明確になってくる。それはネオ・サイバネティクス、とくにオートポイエーシス理論を援用して情報という概念をとらえなおすこと、具体的には機械的情報だけでなく社会的情報、さらに生命的情報へと拡張することである。そして、ハラリの予言するような、人間が機械部品化されるディストピアを回避し、ＡＩ技術の望ましい活用の方向を模索することである。

しかし、ここで、ＡＰＳは「閉鎖系（自律系）」であることを想い出さねばならない。開放系（他律系）であるコンピュータ同士の通信とは異なり、閉鎖系のあいだで情報は原理的に送受できないはずではないのか？――実際、マトゥラーナとヴァレラのオートポイエーシス理論において、「情報」

という概念は排除されているのである。オートポイエーシス理論をそのまま遵守するかぎり、ＡＩが駆使される情報社会を論じることはできない。

現実には、誤解はあるにしても電子メールは盛んに往来し、デジタル信号のやりとりをベースに、情報社会が構築されているのは確かだ。そこには事実上、〝人間＝機械〟複合系が成立しており、今後、その規模も精度も増大する一方であろう。人間機械論に直結するトランス・ヒューマニズムを克服しつつ、ＡＩをはじめとする情報技術を活用するにはどうすればよいのであろうか?――ここで、基礎情報学独自の「ＨＡＣＳ（Hierarchical Autonomous Communication System／階層的自律コミュニケーション・システム）」というモデルについて言及しなくてはならない。ＨＡＣＳについて詳しくは第Ⅱ部第３章で述べるが、ここではその特徴だけをまとめておく。

ＨＡＣＳにおいては、複数のＡＰＳのあいだに非対称な階層関係がゆるされる。この点は、ＡＰＳ相互のあいだでは相互浸透という対称の関係しかないルーマンの社会理論もふくめた、通常のオートポイエーシス理論との顕著な相違点だ。具体的には、たとえば従業員の心の上位に企業というシステムがあるというように、個人の心的システムの上に社会システムが位置づけられるのである。従業員の心も企業のコミュニケーション・システムもそれぞれＡＰＳであり自律的に作動しているが、従業員は企業からの制約をうけつつ企業のコミュニケーションに素材を提供している。そして、従業員同士の情報の授受は、企業システムの作動として定式化される。ここで肝心なのは、従業員の視点に立つとその心は自律系だが、企業の視点に立つと従業員はあたかも機械（コミュニケーションの素材提供部品）のような他律系に見える、ということだ。すなわち、従業員の根源的な自律性／閉鎖性は保証されるものの、従業員は企業であたえられた役割を他律系のように果たしているとも観察されるのである。

このように、HACSモデルを用いる基礎情報学は、観察者の視点を重視するネオ・サイバネティクスの一環でありながら、コンピューティング・パラダイムも一部とりいれていると考えることもできる。では、基礎情報学によってAI技術が駆使される社会はどのように分析されるのであろうか。これは遠大なテーマであり、本書でつくせる議論ではない。ただ、基本的なポイントをあげておこう。

AIはビッグデータを統計処理しているだけだが、思考しているように見えるので、これを疑似的な人格をもつ「電子人間」と位置づける動向もある。その延長で、AIのなかに自由意思を認め、責任をもたせよという声も出てくるであろう。だが、これはコンピューティング・パラダイムにもとづくトランス・ヒューマニズムの発想であり、基礎情報学では否定される。自由意思や責任は自律性をもつ閉鎖系しか持てないものだ。

ただし、自動運転や機械翻訳、さらに人々の監視選別をはじめ、AIがデータ処理にもとづいて判断をくだすような場面は、今後いくらでも出現するであろう。これは自律系（人間）同士が実行する社会のコミュニケーションのなかに他律系であるAIが介在してくる、ということである。このときAIを、ブラックボックス化するのではなく、できるかぎり透明な「メディア」として活用する方途が求められる。そういう社会コミュニケーション・システムは、基本的には自律系であるものの、AIという外部制御できる開放系がどんどん要素として入ってくるので、「暫定的閉鎖系」と見なそうという意見もある。こういった多様な社会システムをいかに運用制御し、その制約をうける人々の心的システムを満足させるか、そこに基礎情報学がとりくむべき研究テーマがあり、〝人間＝機械〟複合系とともに生きるわれわれの近未来がかかっているのである。

本書の構成

第Ⅰ部「基礎情報学にいたるアプローチ」では、ネオ・サイバネティクスがいかにして生まれ、またいかに展開されてきたかを述べる。それは情報と意味をめぐる常識的な見方を根本的にくつがえすものだ。第1章「ネオ・サイバネティクスの誕生」は、20世紀半ばの情報の知、つまりコンピュータ科学、サイバネティクス、情報理論などにおいて、二つの相異なるパラダイムが出現するありさまを述べる。やがてそれは、世界の認識の仕方、そして機械と生物の境界線にかかわる根本的な議論につながり、1970〜80年代にかけ、ネオ・サイバネティクスという構成主義的な新たな知を析出させたのである。ネオ・サイバネティクスには、生物学、社会学、心理学、文学など、多様で学際的な理論や学派がある。第2章「ネオ・サイバネティクスの展開」は、それらが互いにいかに関係し、いかに発展しつつあるかを述べる。とりわけそこで、コンピュータで処理されるデータをめぐる知とは異なる、新たな情報をめぐる知としての基礎情報学がなぜ求められるかが浮かび上がってくるのだ。

第Ⅱ部「基礎情報学の核心」においては、まず第3章「APSからHACSへ」で、第Ⅰ部で述べたネオ・サイバネティカルな諸理論のなかで基礎情報学がもつ、顕著な特長を明らかにする。既刊の『基礎情報学』『続 基礎情報学』[★05]を読んでいない読者も、この章を読むだけで、基礎情報学の中核的なアイデアを把握できるであろう。そこで扱われる情報は、機械的なデータ処理の対象というより、生命体による世界の認識や諸行為と深くかかわってくる存在なのである。そこで第4章「新実在論と生命哲学」においては、基礎情報学から一歩離れ、より広く、関連する議論について言及する。すなわちそれらは、科学哲学としての観測理論や、ポストモダン的な相対主義を克服するため今世紀に登場した哲学潮流である新実在論などだ。それらとの関係において、基礎情報学の位置づけがいっそう明確になってくる。すなわち、20世紀の言語学（論）的転回をうけて、今われわれはデジタル情報中心の情報学的転回の渦中にあるのだが、これを正しく導くことが基礎情報学の使命となるのである。

第Ⅲ部「人間のための情報技術」では、第Ⅰ部や第Ⅱ部の議論をふまえて、近年のＡＩブームにたいして、基礎情報学の見地からいったい何が言えるかをまとめる。ＡＩ万能論が叫ばれているが、前述のように、ＡＩは最近になって突然あらわれた工学分野ではない。すでに半世紀以上の歴史をもっており、昔からコンピュータ活用の中心になると期待されてきた。しかし、それは具体的な応用技術としてはすでに二度の挫折を味わってきたのである。第5章「ＡＩの論理と誘惑」では、一体なぜ挫折したのか根本的な原因を振り返り、現在のＡＩブームのはらむ危険性や問題点を指摘する。とりわけそれは、応用の場面で文理にまたがる倫理的な考察を必要とするのだが、現状では十分な検討がおこなわれているとはとても言いがたい。筆者はすでに幾つかの拙著をはじめ、この点についてあちこちで断片的に言及してきたが[★06]、ネオ・サイバネティクスや基礎情報学という

［★05］西垣通『基礎情報学』ＮＴＴ出版、２００４年、および、西垣通『続 基礎情報学』ＮＴＴ出版、２００８年

観点をふまえて語ることで、トランス・ヒューマニズムのもたらす「偽‐情報学的転回」という新たな側面が照射されてくる。最後に第６章「データ至上主義からの脱出」では、ホモ・デウスが到来する近未来の悪夢を払拭するための方途をさぐっていく。機械と人間とは、今後ますます多様な心的／社会的な次元で複合し、入り混じって作動するようになる。ＡＩはその中枢機能となるであろう。このとき、はたしてデータ至上主義を克服できるか否かが問われてくるのだ。

［★06］西垣通『ビッグデータと人工知能』中公新書、２０１６年、および、西垣通『ＡＩ原論』講談社選書メチエ、２０１８年、および、西垣通＋河島茂生『ＡＩ倫理』中公新書ラクレ、２０１９年、など

第Ⅰ部

基礎情報学にいたるアプローチ／情報と意味創出

第1章

ネオ・サイバネティクスの誕生

1・1 情報をめぐる二つのパラダイム

基礎情報学は、ネオ・サイバネティクスと呼ばれる諸システム理論の一環をなしている。それらの諸システム理論は、工学、生命哲学、社会学、発達心理学、文学など多様な領域にまたがっている。基礎情報学は、そのなかでいかに位置づけられるであろうか。その独自の特徴を明確化するためにも、まずネオ・サイバネティクス全体について概括しておこう。本章では、20世紀後半から今世紀初頭に誕生したネオ・サイバネティクスについて、歴史的系譜を簡潔に振り返ってみたい。

ネオ・サイバネティクスの源流は、周知のように数学者ノーバート・ウィーナーによって1940年代末に創始された古典的サイバネティクスにある。これは自動制御技術の学問的基盤をなしているが、それだけではない。コンピュータ科学とともにサイバネティクスは、前世紀半ばから飛躍的に興隆し発展した「情報の知」の支柱となっている。大切なのは、序で示唆したように、コンピュータ科学とサイバネティクスとがそれぞれ、二つの大きなパラダイムを導いたということだ。前者を「コンピューティング・パラダイム」、後者を「サイバネティック・パラダイム」と呼ぶ。

コンピューティング・パラダイムは別名「情報処理パラダイム」とも言われるが、本書では計算処理という点を強調するためこの呼称を用いる。また、両パラダイムはそれぞれ「ノイマン・パラダイム」「ウィーナー・パラダイム」と称されることもある[★01]。フォン・ノイマンはウィーナーと同じく天才数学者で二人はライバル関係にあったという事情もあり、対照されるわけだ。ただ後述するようにウィーナーの古典的なサイバネティクスの内容はかなり前者と重なっており、後者はハインツ・フォン・フェルスターを嚆矢とするネオ・サイバネティクスの出現によりはじめてその性格が明確化されたので、個人名で呼ぶのは止めておこう（内容的には、後者を「ネオ・サイバネティック・パラダイム」と呼ぶほうがよいかもしれない）。いずれにせよ、両パラダイムはともに情報の知の進歩発展を導いてきたのであり、この異同に着目することから、情報をめぐる知の本質が見えてくるのである。

二つのパラダイムを比較すると、これまでの情報社会では、デジタル・コンピュータという汎用的機械をベースとしたコンピューティング・パラダイムがおおむね優勢を保ってきた。しかし、ＡＩ（人工知能）が今世紀になって実用化の段階を迎え、人間とコンピュータのあいだで密な情報交換が始まりつつある今、もはやサイバネティック・パラダイムを等閑視することはできなくなってきた。この点は強調しなくてはならない。それに関連して、基礎情報学の果たす役割も増しつつある。では、二つのパラダイムの内実はどんなものであり、いかなる共通点と相違点を持っているのであろうか。

両者はともに「情報」と深くかかわっている。そもそも、情報という概念が学問的に登場したのは、20世紀前半、量子論と相対論が現代物理学の扉をひらいたときだったと言ってよい。19世紀までの古典物理学は、実験と論理によって、実在する宇宙／世界のありさまを客観的に探究できると見なしていた。物質とエネルギーからなる宇宙／世界のありさまは、まるで神のような超越的な視点からとらえられたものである。だから誰にとっても同じ結論が得られるはずであり、観察（観測）する存在は括弧に入れてもよいことになる。だが、20世紀初め、この古典物理的な宇宙観（世界観）に亀裂が入った。観測系によって時間や空間が影響されるというアインシュタインの相対論だけでなく、微粒子の位置と運動量（速度）をともに精確に観測することはできないと述べるハイゼンベルクの不確定性原理によって、情報をえる観察者という存在を抜きにして実在を語ることはできないことが明らかにされたのである[★02]。

こうして20世紀以降は、観察者による「情報」の取得が宇宙／世界を探究する上で本質的であると認められ、物質やエネルギーに加えて情報という第三のキータームが科学における根本概念となった。これは研究者にとって、実在する宇宙／世界を純客観的に探究していけるという素朴なアプローチに疑問が突きつけられた出来事だったと言えるかもしれない。それだけでなく、観察者が入手する情報という概念には、どうしても「観察者の主観的な価値」という次元が加わるのだ。この

［★01］ヴァレラは二つのパラダイムをそれぞれ、フォン・ノイマンの他律型パラダイム、ウィーナーの自律型パラダイムとして整理した。Varela, F.J. *Autonomie et Connaissance*, Seuil, Paris, 1989, p.222. を参照。

［★02］現在では「不確定性原理」ではなく「観察者効果（observer's effect）」と呼ぶべきだと考える物理学者が多いようだ。

点を忘れてはならない。

科学的議論ではなく日常の生活における情報、とくにその代表である「軍事情報」に着目すると、このことは明らかであろう。守るべき情報機密、敵に関する情報収集、またそれらを扱う情報部門といった用語は世界大戦中にも出現しており、今日も使用が続いている。この場合の「情報」とは味方を軍事的優位に導くための価値のある存在であり、単なる客観的な事実についての報告ではない。そこでは味方の視点から観察した対象について、味方の価値にそった選択がおこなわれている。つまり、情報とはある意味で「主観的」な存在でもあるのだ。とはいえ、その反面、敵に関する情報は正確でなくてはならないから、そこで客観性が希求されるのも当然である。この点は軍事情報のみならず、客観的事実を重んじる科学の議論でも同じである。

したがって情報という概念には、観察者という存在を介して、客観と主観という両義性／二面性があり、その扱いには二つの基軸があることが分かる。そして端的には、第一と第二の基軸をそれぞれ重視強調して発展させるのが、コンピューティング・パラダイムとサイバネティック・パラダイムに他ならない。

科学技術にかぎらず、あらゆる学問は客観性を重んじるべきだというのは近代の常識である。言うまでもなく、一部の人間の主観だけが重視され、それにそった学説のみが研究教育の対象となるなら、それは真の「知」とはなりえない。たとえば、かつてのソ連においては時の権力に都合のよい政治的イデオロギーに迎合したルイセンコ学説が猛威をふるったが、これは実験的にえられた客観的な遺伝理論を否定したエセ科学だった。とはいえ、客観性とは神から与えられるものではない。人間のおこなう観察や判断には多かれ少なかれ主観性が紛れ込まざるをえないし、だからこそ、さまざまな学説が出現し、議論を通じて知は更新されていくのだ。学説の客観性を確立しやすい物質科学の分野でもそうなのだから、「情報」という、人間の心理や社会の価値判断に密接にかかわる分野においては、主観性を頭から無視するならば、かえって大切なポイントを見逃すことになる。以下、そのありさまを省察してみよう。

1・2 論理主義とコンピューティング・パラダイム

情報概念において、客観性を極端につきつめていったのが、コンピューティング・パラダイムといっても過言ではない。これはその名の通り、20世紀中葉のデジタル・コンピュータの発明や利用と深く関連しているが、それだけでなく、背景として20世紀初めの論理主義哲学や記号論理学の興隆がベースとなっていることを肝に銘じておかなくてはならない。論理主義をふまえて英米圏を中心に20世紀以降に発展した分析哲学は、現在でも英米圏の主流哲学であり、また一方、トランス・ヒューマニズム（超人間主義）やAI万能論の理論的支柱ともなっている。記号論理学とは、記号で表現された論理命題を厳密なルールにもとづいて形式的に処理すれば、有用な論理命題が得られ、それこそが真正の「知」であるという考え方である。いったいいかにして、またなぜ、こういう考え方が胚胎したのであろうか。

論理学は古代ギリシアのアリストテレスらによって始められた。それは、「人間は死ぬ（大前提）」と「ソクラテスは人間だ（小前提）」から「ソクラテスは死ぬ（結論）」を導くいわゆる三段論法のような、演繹推論を中心とした命題論理だった。19世紀末に論理学者ゴットロープ・フレーゲは、命題論理に変数を導入した「述語論理（predicate logic）」を考案し、論理学を一挙に拡張した。

フレーゲの述語論理にもとづいて、バートランド・ラッセルとアルフレッド・ホワイトヘッドが１９１０年代初めに著したのが、論理主義にとって記念碑的な『数学原理（*Principia Mathematica*）』である。この書物は、公理から導かれる厳密かつ形式的な論理の体系を記述したものであり、また、そういうアプローチこそが正確な哲学的思考のモデルであると例示したものだった。この『数学原理』に加えて、１９２２年にラッセルの弟子であるルートヴィヒ・ヴィトゲンシュタインが著した『論理哲学論考』によって、論理主義は明確なかたちをとった。

論理主義を平たく言えばつまり、言語表現で示される厳密に論証可能な命題群のみに着目し、そこから出発すれば哲学的に十分であり、それ以外の、たとえば意識だの超越性などをめぐる曖昧で難しいテーマのことは議論しなくてもよいし、また不毛なので議論すべきではないという考え方だ。これはいわゆる言語論的転回（linguistic turn）とも関連している。端的には、「言語のなかに、宇宙／世界のすべてがある」のであり、ゆえに「言語表現を分析することが哲学研究だ」という思想に他ならない。

経済だの社会だの文化だの、諸々の現実の社会的／心理的な現象がこういったアプローチで完璧にとらえられるか否かについては、大きな疑問符がつくであろう。世の中は矛盾だらけだというのが、日常生活をおくるわれわれ人間の直観的な印象だ。しかしここで、論理主義の背景には、西洋の伝統的な思想があることに気づかなくてはならない。つまりユダヤ＝キリスト一神教的な思想である。新約聖書『ヨハネによる福音書』の冒頭には、旧約聖書の『創世記』をふまえて次のように書かれている。「初めに言（ロゴス）があった。言（ロゴス）は神と共にあった。言（ロゴス）は神であった。この言（ロゴス）は、初めに神と共にあった。万物は言（ロゴス）によって成った。成ったもので、言（ロゴス）によらずに成ったものは何一つなかった」と（新共同訳）。

このロゴス（logos）とは、宇宙／世界の造物主である神の言葉であり、神の告げる「真理」に他ならない。そしてまたロゴスは「論理」でもあるから、一元的な宇宙／世界は厳密に論理的に構成されているということにもなる。

一神教の信者でなくても、現在のほとんどの科学者は、無意識にせよ、こういう考え方にもとづいて仕事をしている。宇宙／世界は論理的に記述可能なやり方で構成されており、それを統べている科学法則を探索するのが、科学研究だというわけだ。そこでは神のような俯瞰的な観察者が暗黙のうちに想定されている。ただし、大半の科学者は信仰をもたない唯物論者であり、宇宙／世界は神がつくったわけではなく、「客観的な実在物」から構成されているという前提から出発している。論理に加え、実在のあり方をさぐる客観的な実験にもとづいて宇宙／世界を探究していくのが科学だという主張が、20世紀前半に唱えられた論理実証主義という科学哲学だった。

論理と実験によって一元的な宇宙／世界のあり方を探索していくというのは分かりやすい考え方である。現代の一般人にも説得力があり、受け入れられやすいであろう。いわゆる「エビデンス（evidence）主義」はその典型例と言える。だが、科学的な仮説は検証できることが条件となる。実際には、物質科学について実験結果をえる際、実験のやり方自体が何らかの仮説にもとづいている場合も多く、ことはそう簡単ではない。論理実証主義に対しても、専門的には種々の批判がなされてきた[★03]。

とはいえ、物質科学ではなく数学に関しては、論理主義はかなり強い説得力をもつように思われる。前述のラッセルとホワイトヘッドの『数学原理』は、哲学書ではあるが、実際には数学基礎論の書物と見なすこともできる。記号論理学的なアプローチは数学の分野でこそ有効なはずだ。西洋では以前、数学の証明はラテン語でおこなわれており、その後、フランス語やドイツ語、英語などの自然言語が用いられていたが、そこにはどうしても曖昧さが紛れ込む。より厳密な証明記述を可能にしたのが、フレーゲの述語論理（predicate logic）だったのだ。こうして、20世紀初頭には、数学を論理学に包含しようという試みがなされた。その立役者が、「数学基礎論」を構築したダーフィット・ヒルベルトである。

ヒルベルトは、数学の体系において公理から導かれるあらゆる命題は、証明できる真命題か、証明できない偽命題か、いずれかであると考えた。つまり、真であっても証明できない曖昧な命題など、完全な数学体系のなかには存在しないというわけである。ヒルベルト・プログラムと呼ばれるこの数学基礎論的言明は、記号論理とくに述語論理という、厳密な証明記述を可能にする形式的言語の発明によって出現したのである。周知のように、この言明はクルト・ゲーデルが１９３１年に発表した不完全性定理によって崩れてしまった。「命題Ａは証明できない」という自己言及的な命題Ａは、真でも偽でもないからだ。とはいえ、この議論が、論理主義の限界線を明らかにすると共に、その純粋な極点を明示したことは確かである。

1・3　コンピュータと情報理論

ここで、コンピュータの理論的基礎を築いた数学者アラン・チューリングとジョン・フォン・ノイマンが、ともに数学基礎論の優れた研究者でもあったことを指摘しておこう。チューリングが提示した「汎用チューリング・マシン（Universal Turing Machine）」は、現在実用になっているあらゆるコンピュータの理論モデルであり、またそこで入力データを操作する「プログラム」という記号列の存在によって、「アルゴリズム（算法手続き）」という存在をはっきり明示したものだった。チューリングは、論理的な「証明」という概念を、記号を逐次処理していく工学的なモデルによって抽象的に表現したのである。

ヒルベルトに師事したフォン・ノイマンもゲーデルの不完全性定理と同じ結論を得ていたと言われるが、より広く知られているのは、チューリングの「停止性問題（halting problem）」である。1937年に発表した論文で、チューリングは「あらゆるプログラムについて、それが停止するか（無限ループしないか）否か」を判定するプログラムは存在しない」ことを明らかにした［★04］。プログラムのなかには、動作結果を確認できない奇妙なものもあるというわけだ。

なぜなら、もしそういう判定プログラムHが存在したとしよう。そうすると、自己言及プログラム（自分自身を入力データとして処理するプログラム）について、Hが「停止」と判定したら無限ループし、「非停止（無限ループ）」と判定したら停止するような、プログラムMをつくれる。ではM自身を入力データとする自己言及プログラムは、果たして停止するか？――

［★03］科学哲学者カール・ポパーの批判はよく知られている。
［★04］Turing, A. On Computable Numbers, with an Application to the Entscheidungsproblem, *Proc. London Mathematical Society*, 42(2), 1937.

ＨとＭの定義により、停止すると仮定しても無限ループと仮定しても、いずれも矛盾することになってしまう。したがって、Ｈは存在しない。

これがチューリングの停止性問題であり、ゲーデルの不完全性定理と同じ結論をあらわしている。「ある命題を証明する」とは、チューリング・マシンで、「当該命題に対応するプログラムが処理実行後に停止する」ことだからだ。こうして、チューリング・マシンを用いて、ゲーデルとは別の方法で、「数学体系におけるすべての命題が証明可能か否か判定できるとはかぎらない」ことが示されたのだ。

とはいえ、こういう論理主義の不完全性が明示されたにもかかわらず、明確となった限界線がその後のコンピュータ科学の発展と応用を妨げることはなかった。おそらく、自己言及命題など、非常に特殊な例外ケースだと見なされたのであろう。フォン・ノイマンは１９４０年代半ば、エッカートやモークリーと共にＥＤＶＡＣというプログラム内蔵型コンピュータの設計書をつくり、数値の二進法表記と導入して、汎用チューリング・マシンを工学的に実現した。これが現行コンピュータの祖型となったことはよく知られている。すなわち、コンピュータはもともと四則計算のための機械というより、むしろ「ＡＮＤ（かつ）」「ＯＲ（または）」「ＮＯＴ（～でない）」というブール代数の論理演算を高速におこなう機械として誕生したのだ[★05]。

コンピュータによって実現されたのは、論理主義者であるチューリングやフォン・ノイマンの想定した「（機械による）思考のモデル」だった。現実には、コンピュータは数値計算や事務処理計算に用いられることが多かったのは確かである。だが当初の理想においては、数学にかぎらずさまざまな人間社会の活動分野において、コンピュータが人間のおこなうあらゆる思考をより正確かつ高速に代替できることがめざされたのだ。チューリングはそういう理想をいだいて、チューリング・マシンを設計し、「アルゴリズム」というものを具現したのである。そこには、感情や情動といったものも根本的には論理演算に還元できるという信念があったに違いない。チューリングが講演で述べた「人間の心の動きとほとんど同じ働きをする機械を作ることができるというのが私の主張である」という言葉は、その信念をはっきり物語っている[★06]。

ＡＩの試金石として、今なおしばしば、「チューリング・テスト」が実施されている。このテストは、試験遂行者が、別々の部屋にいる人間ならびにコンピュータとテレタイプ（現在なら電子メール）を介して対話し、両者の区別を認識できなければ「コンピュータは思考している」というものだ。率直にいって、結果は試験を遂行する者の主観や対話内容にも依存するし、テストとしては完全とは言いがたい。しかし、このテストが半世紀以上過ぎてもまだ人気があるということは、ＡＩについてチューリングと同様の考えをもつ人々が少なくないことを物語っている。

「コンピューティング・パラダイム」においては、あくまで俯瞰的な観点から、一元的な宇宙／世界が論理的に構成されていると見なす。そして宇宙／世界の客観的なありさまを表す記号列をルールにもとづいて形式的に演算処理することが、正しい決定や行動につながる思考なのだと考える

［★05］実際には、三つの論理演算「ＡＮＤ」「ＯＲ」「ＮＯＴ」は共通の「ＮＡＮＤ」回路で実行できるので、これのみで実現されることが多い。
［★06］西垣通「機械との恋に死す」、『デジタル・ナルシス』岩波書店、１９９１年（岩波現代文庫、２００８年）、第２章。

のである。このパラダイムはいったい何をもたらしたであろうか。コンピュータ活用による巨大な応用分野を開拓したことはまちがいない。だが一方、哲学的な論理主義をベースにして、コンピュータがどこまでも人間に接近していくという発想は、当然ながら「人間機械論」につながる。人間という存在は、程度の差こそあれ機械と同質であり、その思考活動は脳神経系を分析すれば解明でき、データを処理するアルゴリズムとしてとらえられることになる。同時にそれは、生物と機械のあいだの境界線を曖昧にするだけでなく、人間を超えた能力をもつ普遍的知性の存在を奉じるトランス・ヒューマニズムにつながりやすい。人間の脳細胞など、総数は限られているし、反応速度はコンピュータよりはるかに遅いという理屈が成り立つからだ。

一方、歴史を振り返れば、トランス・ヒューマニズムが悪用され、有色人はじめ多くの人々を差別し抑圧してきたこともまた事実なのだ。21世紀情報社会がその罠に陥らないためにはどうすればよいのか。ここで、コンピューティング・パラダイムが別称「情報処理パラダイム」とも呼ばれることを想起しておこう。これはコンピュータ科学（工学）が「情報科学（工学）」とほぼ同義であることと重なるが、「情報」という概念がコンピュータの処理する「データ」と等値されがちだという事実とも関連している。こういう情報観はあまりに狭いものだが、実はそれは、以上述べたような論理主義の強い影響下で生まれたのだ。鍵となるのは、20世紀中葉にフォン・ノイマンらと交流のあった通信工学者クロード・シャノンによって提唱された「情報理論（information theory）」である。

シャノンは米国のベル電信電話研究所で音声信号をいかなる電気信号に変換すべきかを研究しており、1948年に発表した論文で「第二符号化定理」と呼ばれる画期的な記号変換方式を考案した。これは、雑音の影響をふせぎつつ通信効率最大化を可能にする方法であり、通信工学的にはきわめて優れた論文だったが、それが抽象的な情報の理論という体裁で書かれていたため、大きな誤解を招いてしまった。つまり、記号の担う意味内容を捨象した存在が「情報」と見なされてしまったのである。

シャノンの議論における「情報量」とは、ある記号列が出現する確率の関数であり、それが担う意味内容とは関係がない（ある記号列の発生確率をpとするとき、その記号列の担う情報量は「$-\log p$」であり、平均情報量は「$-\sum p\log p$」となる）。にもかかわらず、一般には、ある出来事が発生したという意味内容を知らせる確率の関数として解釈されてしまった。このような誤解が生じた主な原因は、宇宙／世界の出来事を記述する記号を形式的に処理することこそが正しい思考であるという、論理主義的発想があったからに他ならない。実際、コンピュータがプログラムにしたがってデータ（記号）を処理するとき、そのデータ（記号）が人間にとって何を意味するかはまったく無視してよい。あえてプログラムにとってのデータ（記号）の意味があるとすれば、それはプログラムの統辞法（文法ルール）のなかに、つまりデータ（記号）相互の論理的関係のなかに包含されている。端的に言うと、コンピュータ処理において、統辞論はあっても意味論はない。宇宙／世界は超越者（神）によって意味論的秩序を与えられているはずだ、という西洋の文化的伝統がこれを支えている。

とはいえ、実際にはそこで問題が生じる。例として、電子メールの送受信をあげておこう。ユーザである人間にとってはメールの文章内容が問題なのに対し、コンピュータ（とそれを操作する通信技術者）にとっては0／1のビット列を正しく送ればよいというのは、まさに意味の捨象に他ならない。だがAIの応用の場面ではそれだけでは済まない。AIロボットと人間が英語や日本語で対話するとき、実生活上の不都合は起きないのか。こうして今や、シャノン情報理論のもとづく旧来の「情報」概念を更新し拡大することが不可欠となってくる。

1・4 サイバネティック・パラダイムの端緒

フォン・ノイマンやチューリングによるコンピューティング・パラダイムと、ウィーナーが先鞭をつけたサイバネティック・パラダイムの最大の相違は何であろうか。それは、「自己言及」の扱いにあると言ってよいであろう。前述のように、ゲーデルの不完全性定理やチューリングの停止性問題によって、コンピュータ・パラダイムが自己言及問題に関して有効性の限界線を示したことが明らかになった。平たく言えば、コンピューティング・パラダイムが有効なのは、自己言及以外の問題にたいしてである。だが一方、サイバネティック・パラダイムはむしろ、自己言及問題にたいして有効性を発揮するのだ。

自己言及とはプログラムがプログラム自身をデータとして処理するとか、みずからにもとづいてみずからを語るとかいった行為である。より広くとれば、みずから構成した主観的な世界をもとに外部からの刺激を解釈し、主観世界を内部的に改変し構成し続けていくということだ。これは、世界を俯瞰的に外側から眺めるのではなく、内側の限定された局所的な視座から眺めるということでもある。とすれば、客観世界の俯瞰的な観察を前提とするコンピューティング・パラダイムに対して、局所的かつ主観的な観察者という立場を重んじるサイバネティック・パラダイムと自己言及問題との結びつきは決して不自然ではない。

とはいえ、ウィーナーの古典的サイバネティクスにおいては、超越的観察者による俯瞰的視座からの客観世界の分析という面も濃厚に残っている。序でふれたようにウィーナーは第二次大戦中、高射砲の研究に従事していた。高射砲の射手は各自の局所的な視座から世界をとらえるのだが、その目的はノイズの影響を最小限にして襲来する敵機の位置や速度を測定し、迎撃することにある。ウィーナーはもともと確率過程論の専門家であり、高速で飛来する敵機の軌跡や位置を限られた情報にもとづいて統計的に予測しようとした。これは、全体世界を俯瞰する記述像がまず存在しているという仮定のもとで、そのうちごく一部しか射手には分からないので、統計モデルを駆使して確率的に予測する、というアプローチである。つまり、一元的な全体世界というコンピューティング・パラダイムの前提がそのまま踏襲されており、局所世界とはあくまで「全体世界のなかの不完全な一部」にすぎない。自立した局所世界が立ち上がるというネオ・サイバネティカルな発想には遠いのだ。

ウィーナーによる「情報量」の定義が、前述のシャノンの平均情報量から負号をとった$\sum p \log p$であり、いわゆるネゲントロピーと同一だったことはよく知られている。確率pは1より小さいから、当然これは負の値をとる。これは、情報の伝達によって全体世界の秩序化がおこなわれ、エントロピーが減少するという、俯瞰的視座からの一元的世界モデルをウィーナーが思い描いていたことの証左と言えるであろう（「エントロピーを食べ、ネゲントロピーを排出している」というシュレディンガーの生物観も、これと同じ俯瞰的視座にもとづくものだ［★07］）。

［★07］シュレーディンガー、E.『生命とは何か』岡小天＋鎮目恭夫訳、岩波文庫、2008年

ちなみに、シャノンの情報理論で定義された平均情報量はなぜこれに反して正の値となるのであろうか。そこには秘かに、情報の受け手にとってプラスの価値をもつ情報量という発想が入っている。生起確率pの情報量は$-\log p$だから、pの値の小さい珍しい情報が通信回路から送られてきたら、その情報量は大きいというのは直観的に納得できることである。そこでは全体世界を眺める俯瞰的視座からの座標軸ではなく、受け手の局所的視座からの座標軸が暗黙のうちに仮定されている。考えてみれば、全体世界を見渡せる神のような超越的観察者はすべてを知っているのだから、別に情報を伝える必要などない。情報という概念は、局所的視座をもつ観察者にとって知らないことがあるとか、観察行為によって世界のありさまが変わるとかいう事態から出現するのだ。したがってシャノンの情報理論においても、このような二重性が入ってこざるをえない。すなわち、一元的な全体世界を前提とするコンピューティング・パラダイムだけでは情報学としてどうしても不十分なのである。

ウィーナーの古典的なアプローチは、世界記述における全体性と局所性というこのような対立をふまえて、やがて少しずつ変質していく。ウィーナーの著書『サイバネティクス』の副題は「動物と機械における制御と通信（*control and communication in the animal and the machine*）」である[★08]。この副題は、電子回路と動物の脳神経と直結し、生物を機械の一種とみなすのがサイバネティクスであるという印象をあたえる。事実、サイバネティクスは多くの人々には、生物と機械の同質論として受けとられてきた。これはコンピューティング・パラダイムそのものであり、そのまま延長すれば必ず人間機械論に行きついてしまう。だが、ウィーナーは自由を尊重する気質の学者であり、そういう傾向に対して強い反発心をもっていた。最初の啓蒙書『人間の人間的な利用（*Human Use of*

Human Beings)』のなかに書かれた次の文章は、その意図を物語らずにはいない。

> （権力者の支配のもとで）人間は、或る高級な神経系をもつ有機体といわれるものの行動器官のレベルに引き下げられてしまった。私は本書を、人間のこのような非人間的な利用（*inhuman use of human beings*）に対する抗議に捧げたいのである。（中略）人間の機械化は彼らの野望を実現する一つのかんたんな道である。思うに、権力へのこういう容易な道は、実は、人類にとって道徳的価値があると私が考える一切のものの廃棄であるばかりでなく、人類の今後かなり長期にわたる存続のための今やはなはだ細くなったみちの廃棄をも意味する[★09]。

サイバネティクスがウィーナーの価値観を反映した独自のパラダイムにつながるためには、生物と機械の異質性に着目しなくてはならない。確かに、飛翔するミサイルがターゲットをとらえるのは鷲や鷹などの猛禽類が獲物をとらえるのと類似している。ミサイルは時々刻々、対象の位置を予測し、自分の位置との落差を入力とするフィードバックで対象との距離を縮めていく。これが確率的な予測をふくむ古典的サイバネティクスの制御アプローチである。しかし、猛禽類の狩りにおいては、ベテランの獲物はしばしば、過去の統計にもとづくような尋常な軌跡ではなく、突如思いが

［★08］Wiener, N. *Cybernetics: or control and communication in the animal and the machine* (*2nd Ed.*), MIT Press, Mass, 1961(1948).

［★09］Wiener, N. *The Human Use of Human Beings* (*2nd Ed.*), Doubleday, 1954. (Originally by Houghton Mifflin, 1950).［鎮目恭夫＋池原止戈夫訳『人間機械論』みすず書房、１９７９年］、邦訳23〜24頁

けない反転など斬新な軌跡を描いて逃れ去ることも多い。また一方、捕獲する側も、その裏をかくような飛翔をおこなって狩りに成功することもあるのだ。これは、ターゲットやミサイルが予め設計された機能や性能によって制限づけられた飛翔軌跡を描くのとは異なっている。

つまり、獲物や猛禽類の局所世界とは、単に一元的な全体世界の一部を切りとったものではない。むしろ時々刻々、みずから異質な宇宙／世界を形づくっているのではないかと考えられてくる。これは、生物学者ユクスキュルが環世界（Umwelt）と呼んだものである[★10]。それまでの生物学では生き物をメカニックな人工物のように外側から眺めていたのだが、ユクスキュルは、生き物はそれぞれ特有の知覚器官にもとづく独自の環世界を構成しており、ゆえにその行動を内側から眺める必要があると主張した。この考え方が今日の動物行動学のベースとなっていることは周知の通りである。

逆に言えばこのことは、われわれが唯一の現実だと思っている一元的な宇宙／世界の像とは、実は人間という生物種がそう信じて記述しているだけではないか、という議論にもつながってくる（これは哲学的には、カント以降の近代哲学が、絶対的存在である「物自体」ではなく人間にとっての「現象」から世界認識を始めよと主張したことに対応している）。こうしてコンピューティング・パラダイムが前提としている素朴な客観世界の根底が揺らぎ、むしろ、生き物の局所的な主観世界からいかにして俯瞰的な客観性をもつ共通認識が可能になるのか、というネオ・サイバネティクスの議論が本格的に要請されてくるのである。

1・5 多元宇宙の哲学

古典サイバネティクスからネオ・サイバネティクスへの20世紀後半に生じた学問的転換について述べる準備として、その一世紀近く前、米国の経験論哲学（心理学）がある意味でネオ・サイバネティカルなパラダイムを先取りしていたことについてふれておかなくはならない。詳しくは拙論「ネオ・サイバネティクスの源流」［★11］を参照していただきたいが、次に簡潔にまとめておこう。

19世紀末の心理学者であり、プラグマティズムの哲学者としても知られるウィリアム・ジェイムズは、ウィーナーより53歳ほど年上だが、ウィーナーの父親と同じくハーバード大学の教員であり、同僚の息子をかなり可愛がったらしい。ウィーナーも若い頃にジェイムズの著書を読みふけったそうだが、影響をうけた哲学者はライプニッツ、スピノザ、キルケゴールなどであり、サイバネティクスなどの著書にはジェイムズの哲学の直接的引用は見られない。しかし、ジェイムズの経験論哲学はまさしくネオ・サイバネティクスの始祖ではないかと思われるのだ。

ジェイムズの名を不朽のものとしたのは一八九〇年に書かれた大著『心理学原理（*The Principles of Psychology*）』である。そのなかでジェイムズは、たとえば緑色のものが灰色に見えるという錯覚現象を起こす人間の心的事態をいかに心理学的に分析するかという点につき、研究者はとかく色だ

［★10］ユクスキュル＋クリサート『生物から見た世界』日高敏隆＋羽田節子訳、岩波文庫、２００５年

［★11］西垣通「ネオ・サイバネティクスの源流」、『思想』、２０１０年7月、１０３５号

けでなく心的事実をも「客観視」していると批判している。心理学の研究者が「自分自身の立脚点と、自分が記述している人物の心的事実の立脚点とを混同すること」や、「自分が考察する心的状態（mental state）を意識するのと同じやり方で、当該人物の心的状態がみずからを意識していると仮定すること」は誤りだというのだ。研究者は、まるで自分が俯瞰的な観察者であるかのように、客体として、全体世界のなかに、色をもつ物体があり、それを思考する人物の心や、脳があると見なしている。だが当該人物の心は、色をもつ物体を局所的に観察しているだけであり、ゆえに両者の立ち位置を峻別しなくてはいけない。「心理学が論じる主観的なデータこそが思考であり、またそういう（主観的な）思考と、その（客観的）対象である客体、脳、そして残りの世界との関係」を心理学の研究者は問わねばならないと言う[★12]。要するに、錯覚を起こす心のありさまを「外側」から客観的に眺めるのではなく、心の「内側」から眺めなくてはならないと主張するわけである。

ジェイムズのこの主張は、現在なおきわめて説得力をもつものではないであろうか。これは心の研究者の陥りがちな罠である。今でも脳研究者のなかには、所与の刺激にたいする脳の各部分の細胞の反応を実験的に調査し、その客観的データを人間の全体世界の認識と直結するナイーブな傾向がみられるが、心のなかで起こっている主観的事実と脳の客観的反応とのあいだには距離がある。この距離つまり「心脳問題」を無視し、心をいわば抹消してしまうのは、脳研究者がコンピューティング・パラダイムにとらわれているからである。

心脳問題は難問であり、いまだに解かれているとは言えない。まして、ジェイムズが活動していた19世紀末の自然科学においては、一元的な宇宙／世界が当然のものとされていた。そうなると「宇宙／世界を認知観察する行為や主体そのもの」を問い直そうとするジェイムズのアプローチが壁にぶつかったことは想像にかたくない。こうして、医学博士であり心理学者だったジェイムズの研究の重心は科学から哲学に移っていかざるをえなかったのだ。

ジェイムズの哲学は「根本的経験論（radical empiricism）」[★13]と呼ばれる。これは、個々人の主体が客体を認識しているという通常の考え方ではなく、個人のもついっそう根源的な主客未分離の「純粋経験」から出発するものだ。では純粋経験とは何であろうか。それは身体が生みだす一種の「感じ（feeling）」であり、それが素材となって時々刻々変転していく「意識の流れ（stream of consciousness）」が形づくられる。ここで大切なのは、固定した客体を意識が静的に把握するのではないということだ。すべては思考のダイナミックな連続継起のなかで生じるのである。

ここでいう意識の流れとは、あくまで個々人特有の固有名詞的存在であり、通常の普通名詞で記述できるものではない。心（意識）が宇宙／世界を観察し認識しているとしても、その仕方は各自で異なる主観的なものだからだ。それゆえ客観的／学問的な記述にするためには、「観察の仕方そのものを観察する」という二次的な操作が不可欠となってくる。つまり、心（意識）が客体を認識しているだけでなく、そういう行為をおこなっている心自体も分析の対象としなくてはいけない、ということになる。

以上述べたように、生き物の局所的な主観世界からいかにして客観性をもつ共通認識が可能になるのか、というネオ・サイバネティクスの論点の一部は、すでに一世紀以上前、ジェイムズによっ

[★12] James, W. *The Principles of Psychology*, vol.1, Cosimo, NY, 2007. (Originally in 1890), pp.196-197.
[★13] ジェイムズ、W.『根本的経験論』桝田啓三郎＋加藤茂訳、白水社イデー選書、１９９８年

て先取りされていたと考えられる。やがてそれは二次サイバネティクスやオートポイエーシスという現代的な理論につながるのだが、そういう学問的発展の土壌は19世紀末にはまだ整っていなかった。そこでジェイムズが向かったのは多元的宇宙（pluralistic universe）ないし多重宇宙（multiverse）という哲学的議論だった［★14］。

古典物理学がきわめて発達した19世紀末の西洋では、さすがに全宇宙／全世界を俯瞰する全能の神の存在は明示的には陰をひそめていたものの、一元的な宇宙／世界が唯一存在し、それを探究することが科学の当然の大前提とされていた。観察者や情報という概念は、まだ重要なものとして出現していなかったのである。逆にいえば、科学者は普遍的な観察者という位置づけだったわけだ。だが、個々人の身体や感情に支えられた主観的な純粋経験から出発するなら、一元的／普遍的な視座は否定されてしまう。すべてを包摂する認識論的統一を可能にする超越的視座などありえないとすれば、必然的に視点は多元化され、多数の宇宙／世界が想定されることになる。

とはいえ、ジェイムズは決して多数の独立した宇宙／世界が無関係に並立していると考えたわけではない。このことは、「多元論の観点からいえば、人が思考する一切のものは、それがいかに広大で包括的なものであろうとも、そのさらに外部に、何らかの、また何程かの、純粋に『外的』なものをもっていることになる」［★15］という言葉に表されている。つまり、それぞれの宇宙／世界は「外部」を介して関係づけられることになる。ここで、「宇宙／世界」を「オートポイエティック・システム」、「外部」を「環境」に対応させると、多元宇宙論とオートポイエーシス理論の共通点は明らかであろう。以上に考察したように、経験論哲学者ジェイムズの議論をネオ・サイバネティクスの先蹤《せんしょう》として位置づけることは、決して不自然ではないのである。

1・6　二次サイバネティクスと構成主義

ネオ・サイバネティクスとは、生物学、工学、社会学、心理学、文学、哲学、情報学など多分野にわたる学問的潮流の総称であり、今世紀はじめにシステム論的文学者のブルース・クラークとメディア学者のマーク・ハンセンによって命名された。２００９年に発表された記念碑的な論文「ネオ・サイバネティックな創発（Neocybernetic Emergence）」において、その特徴は次のように述べられている。「ネオ・サイバネティクスにとって中心的な事項と思われるのは、二重の閉鎖性としての自律性である。フォン・フェルスターが表現したように、調整の調整といってもよい」[★16]。なお、ここでいう自律性とは、主体がただ独我論的に自足しているということではない。環境のうちでみずからが存在していることとシステム論的な自己調整とが、相互に関連しあっているということである。言いかえれば、環境のなかで生存していくという行為が、みずからの認識する宇宙／世界を「自律的に構成」する作業と密接に相関しているのだ。最初にこれについての明確なモデル化をおこなったのは物理学者のハインツ・フォン・フェルスターである。

[★14] James, W. *A Pluralistic Universe*, Univ. Nebraska Press, 1996 (Originally in 1990).
[★15] ジェイムズ、W.『純粋経験の哲学』伊藤邦武訳、岩波文庫、２００４年、２１３頁
[★16] Clarke, B. and M. B. N. Hansen, Neocybernetic Emergence, *Cybernetics and Human Knowing*, 16(1-2), pp.83-99.［大井奈美訳「ネオ・サイバネティックな創発」、西垣通＋河島茂生＋西川アサキ＋大井奈美（編）『基礎情報学のヴァイアビリティ』東京大学出版会、２０１４年、第７章、１８９頁］

１９７０年代前後に提示されたフォン・フェルスターの議論は、「二次（second-order）サイバネティクス」という名称で知られている（これと対照して、ウィーナーの古典的サイバネティクスが一次（first-order）サイバネティクスと呼ばれることもある）。二次サイバネティクスの議論は日本ではそれほど広まっているわけではなく、フォン・フェルスターの著書の邦訳も見当たらない［★17］。だが、ネオ・サイバネティクスの始祖としての理論的影響は小さいものではなかった。二次サイバネティクスの概要、ならびにこれとオートポイエーシス理論やラディカル構成主義との密接な関連は、橋本渉による総括論文に明快に述べられているので、以下、この論文をもとに要点をまとめてみよう［★18］。

フォン・フェルスターは、１９４９年よりサイバネティクスの国際会議として有名なメイシー会議に議事録編集担当として参加し、同年イリノイ大学に着任した。58年にＢＣＬ（生物コミュニケーション研究所Biological Computer Laboratory）を設立し、76年の閉鎖までその所長をつとめた。フォン・フェルスターはオートポイエーシス理論を創始した生物学者ウンベルト・マトゥラーナやその弟子フランシスコ・ヴァレラを招聘し、ＢＣＬは二次サイバネティクスの研究を通じてネオ・サイバネティクス発祥の拠点となったのである。

いったいフォン・フェルスターの二次サイバネティクスとはいかなるものであろうか。すでにふれたように、ウィーナーの古典的（一次）サイバネティクスが「観察された（observed）システム」を扱うのにたいして、二次サイバネティクスは「観察する（observing）システム」を扱うと言われる。つまりそれは、外側からのシステム論ではなく、内側からのシステム論に他ならない。ここでいう「システム」とは有機体つまり生物のことだ。

通常の工学モデルでは、システム f に外部環境からの入力 x が加えられ、出力 y が計算される（ただしここで x は現時点の入力だけでなく過去をふくめた入力系列をあらわすとする）。そして、y が望ましい値になるように f のパラメータが調整されることになる。システムは機械のように外側からとらえられ、学習や制御がおこなわれるのだ。

$$y = \mathrm{f}(x)$$

だが、二次サイバネティクスにおいては、f は生物（有機体）のモデルであり、そこでは x だけでなく内部関数値 z によって出力 y が定まる。

$$y = \mathrm{f}(x, z)$$

ポイントは、z が現時点までの出力の歴史をも反映した再帰関数 g により計算されることだ。ここで z は、生物自身による観察の記述として構成される世界像に対応し、システム内部で時々刻々と計算される過程から得られるのである。解が収束して世界像が安定するためには、次式のよ

[★17] フォン・フェルスターの論文の多くは、次のアンソロジーにまとめられている。Foerster, H. von *Understanding Understanding*. Springer, 2003.

[★18] 橋本渉「ハインツ・フォン・フェルスターの思想とその周辺」、『思想』、１０３５号、２０１０年７月、９８〜１１４頁

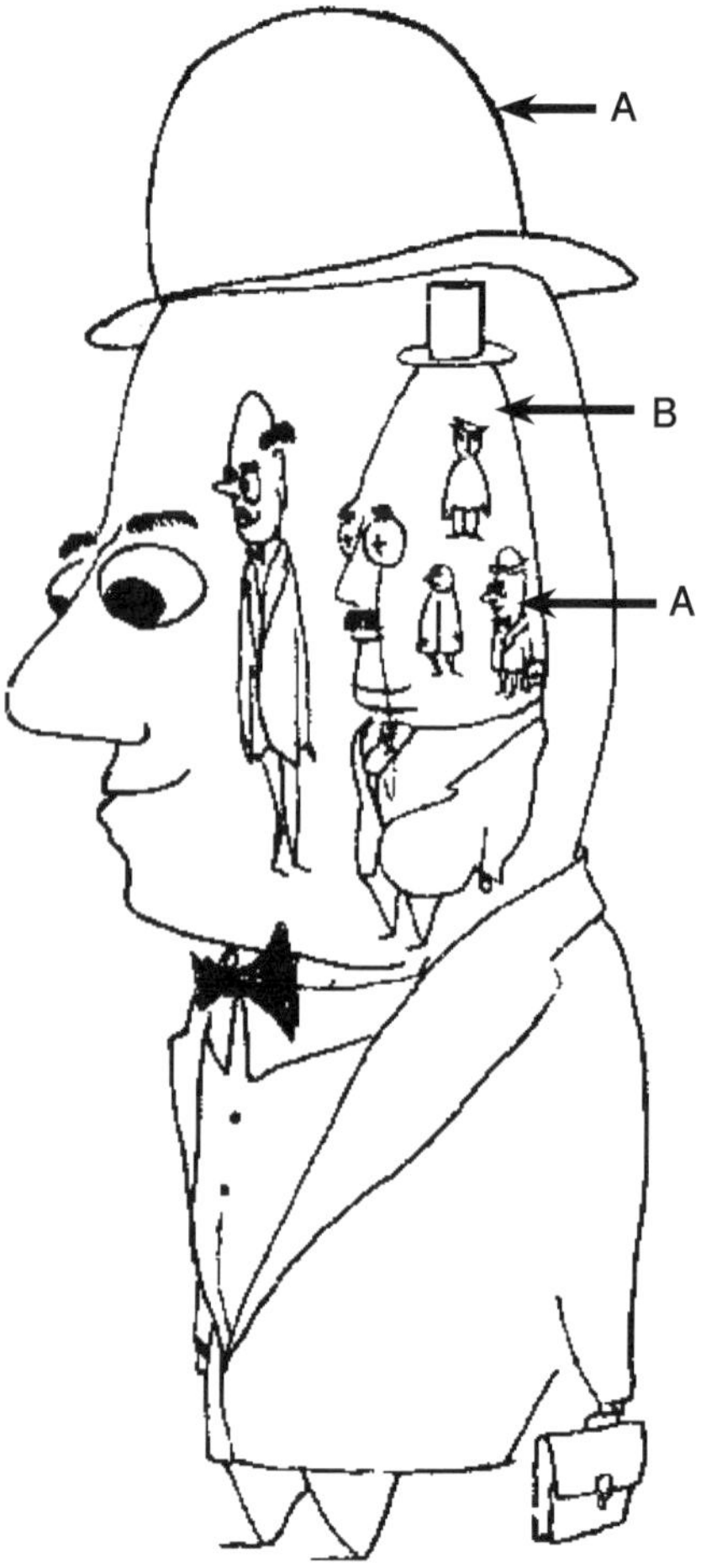

図1　山高帽をかぶったビジネスマン
（『基礎情報学のヴァイアビリティ』東京大学出版会, p.176, 図7-1, Foerster 1960より）

うに固有値（eigen value）が求められねばならない。

$$z = g(x, z)$$

以上が、システムを内側からとらえるための大雑把なモデルである。フォン・フェルスターにより1973年に書かれた論文「現実構成について」は二次サイバネティクスの概念を明示したものと位置づけられるが、そこで認知現象は次のように説明される。たとえば観察者が「テーブルがある」と発話するとしよう。このとき観察者は、実際にはテーブルという「現実」を計算しているのではない。網膜像のような「現実の記述」を計算しているのであり、この記述をさらに高次の「現実の記述の記述」として計算し、その記述をさらに……という継続的な計算過程が内部で発生する。この計算過程は再帰関数として定式化でき、安定した均衡的な認知現象はそれが固有値をもつことに対応するのだ。

このように、二次サイバネティクスにおいては、生物であるシステムが観察するという行為を、客体同士の関係として外側からとらえるのではない。あくまで観察する認知主体の固有行動として内側から、自己言及的にモデル化するのである。このような再帰的な認知現象のとらえ方が、オートポイエーシス理論における自律システムの閉鎖性や、ラディカル構成主義心理学における主体の現実構成という概念につながっていくのである。

忘れてはならないのは、こういうアプローチが、閉鎖的な自律システムであっても独我的な宇宙／世界をゆるすモデルではない、という点である。「観察する行為を観察する」という二次的な行為は、それだけで複数の認知主体による共同（間）主観的な現実構成をもたらすのだ（だから三次以上のサイバネティクスは必要がない）。

これを象徴するのが有名な「山高帽をかぶったビジネスマン」の図である（図1）。ビジネスマンAの宇宙／世界に出現する他のビジネスマンBの宇宙／世界のなかには、Aが出現している。AもBも自分だけが実在だと考えるとパラドックスとなるので、結局、互いの実在を仮定せざるを得ない。このように、フォン・フェルスターは、「実在は少なくとも二人の観察者にとって両立する準拠枠組みとして現れる」と考えたのである。ネオ・サイバネティクスの議論は主観から出発するので、客観性を欠くと時おり非難されるが、当初からその理論的防壁は周到に用意されていたのだ。

第2章　ネオ・サイバネティクスの展開

2・1　オートポイエーシス理論

クラークとハンセンが学術雑誌『サイバネティクスと人間の知（*Cybernetics and Human Knowing*）』に発表した総括論文「ネオ・サイバネティックな創発（neocybernetic emergence）」について前章でふれた。その内容は二人が編集した論文集である『創発と身体化（*Emergence and Embodiment*）』の序章とほぼ重なっている。２００９年に刊行された同書には、フォン・フェルスターやヴァレラ、ルーマンなどをはじめ、著名なネオ・サイバネティクス関連研究者の論考やインタビューが集められており、ネオ・サイバネティクスという新たな総合学問の開花を告げる記念碑的な書物といえるであろう。

ネオ・サイバネティクスの内容は実に多岐にわたる。とりわけそれは、20世紀末に生まれ、21世紀に開花発展すると考えられる新しい知の動向と結びつくものなのだ。クラークとハンセンは次のように述べている。

認知科学、カオス理論、複雑系科学、社会システム論において、今日もっとも重要な理論上かつ批判上の議論は、自己言及性、創発、オートポイエーシスというネオ・サイバネティックな概念から生じている。（中略）科学、技術、社会学、心理学、哲学、歴史、文学、芸術の、相互関係のあり方とその進展について、ネオ・サイバネティクスの語彙を用いながら再考する研究成果が、ますます増えている［★01］。

したがってネオ・サイバネティクス関連の諸理論は多岐にわたるだけでなく、現在も盛んに展開中である。すでに類書も多いので、本書でそれらすべてについて概要を述べることはできない。本章では、オートポイエーシス理論をはじめ代表的な幾つかの理論について、あくまで基礎情報学との関連を中心に骨子を紹介したい。というのは、それらは基礎情報学と共通な部分とともに異なる部分をもっており、両者を明らかにすることが、基礎情報学の内容や目的を理解する上で必要だと考えられるからである。

ネオ・サイバネティクスはシステム論として幾つかの興味深い特徴を持っているが、なかでももっとも注目され、また誤解を招きやすいのは、「閉鎖性」という特徴に他ならない。コンピュータによる情報処理をはじめ通常のシステム論では、システムは環境の中にある開放系であり、入力に応じて出力をもたらす存在である。しかし、もしシステムが閉鎖系だとすれば、それはいかにして外界とかかわるのであろうか。実際、前章で述べたようにフォン・フェルスターの二次サイバネティクスにおいてさえ、入力と出力はひとまず措定されており、そこに再帰性と固有値という特徴が導入されることで結果的に閉鎖的な性質があらわれるという定式化がおこなわれている。

認知科学、カオス理論、複雑系科学、社会システム論といった分野では、時間経過とともにシステムに新たな高次の性質が出現する「創発（emergence）」という現象が扱われる。生物進化はその一例に他ならない。そこで、「いったい閉鎖しているシステムにいかに創発が生じるのか」という疑問が生まれてくる。常識に反して、ネオ・サイバネティクスにおいては「閉鎖性からの開放原理」が一般化されるのである。外界と相互作用するときの再帰性がここでのポイントとなる。再帰性とは、「外界と、たんに円環的な関係ではなくらせん状に展開する関係を結ぶことを意味する。それによって、連続する高次のレベルに、あたらしいものを創発させるのだ」とクラークとハンセンは述べている[★02]。

直観的に言うとこれは、あまりに混沌として複雑すぎる外界の環境に対し、これをネオ・サイバネティカルなシステムが「主体的に単純化する」という行為に対応している。複雑性を縮減する行為が創発につながるわけだ。われわれが見知らぬ土地で、何とか目的地にたどりつくルートを発見しようと、大雑把でも自分なりに街路を「理解」する場合をイメージすれば分かりやすいであろう。

フォン・フェルスターの二次サイバネティクスを受け継ぎ、さらにシステムの閉鎖性という側面を正攻法であくまで徹底したのが、1970年代にチリの哲学的な生物学者マトゥラーナとその弟

[★01]「ネオ・サイバネティックな創発」、『基礎情報学のヴァイアビリティ』、前掲、邦訳180頁
[★02]同右論文、邦訳195頁

子ヴァレラが提唱したオートポイエーシス理論に他ならない。画期的かつ挑戦的な英語版の著書『オートポイエーシス』は1980年に刊行されたが[★03]、これはそれぞれ1970年と73年に書かれた二つの論文「認知の生物学」と「オートポイエーシス——生命の有機構成」を併せたものである。

同書で定義されたオートポイエティック・システム(Autopoietic System 以下APSと略記)とは、「構成素が構成素を産出するという産出過程のネットワークとして有機的に構成された機械」である。APSは生物のシステム・モデルであり、人間がつくる通常の機械とは異なるのだが、あえて「機械」と定義したのは、それが生気論や目的論と重なるという誤解を避け、あくまで科学的に生物を定義しようというマトゥラーナの戦略のためであろう。これは、自律性、個体(単位)性、境界の自己決定性、入出力の不在といった四特徴をもっている[★04]。オートポイエーシス理論は一般に難解とされ、以上のAPSの定義をそのまま理解することには抵抗が大きいので、ここではその本質をかみ砕いて述べておきたい。

ギリシア語でオート(auto)とは「自己」のこと、ポイエーシス(poiesis)とは「制作する」ことであり、APSは「自己創出システム」と訳される。つまり、生物とは「自分で自分自身をつくりあげるシステム」と定義されるのである。従来、生物のシステム論的な定義はいろいろある。まず、変化する環境のなかで恒常性を保つ平衡システムととらえる見方がある。また、非平衡的な物質の流れのなかでみずからの身体構造の秩序をつくりあげる、複雑系的な自己組織システムととらえる見方もある。だが、平衡系や自己組織系はいずれも、非生物にも見られる現象だ。あくまで自発的かつ自己準拠的に認知世界をつくりあげる、という生物の特性をもっともよくとらえているシステム・モデルはAPSだといっても過言ではない。

オートポイエーシス理論の新しさは、通常の生物学が、現在主流である分子生物学をふくめ、物質的機構に注目して生物を「外側」からとらえるのに対し、生命システムを自己準拠的、自己構成的、自律的な単位体として、その認知現象を「内側」からとらえるという点にある。マトゥラーナはもともと生物の視覚を研究しており、カエルやハトの色彩認知と脳神経系の変化を実験していた。そのとき生物の脳神経系の変化が色彩（光の波長）と機械的な入出力関係をもたないことに気づいたという。たどりついた結論は、生物が、光の波長といった直接の外部刺激ではなく、あくまでみずからの体験にもとづいて内的に脳神経系を変化させ、色彩を認知するというものだった。外部の観察者が、生物を機械システムのように見なして分析し、その認知現象を記述するのは誤りだというわけである。

言うまでもなく、生物は代謝活動をおこなって生きており、またその世代交代はＤＮＡ塩基配列の遺伝子にもとづいておこなわれる。だが、生物という存在をそういう化学反応的な側面だけで語りつくすことはできない。みずから認知する世界を自己言及的につくりあげ、それにもとづいて行動するというのは、生物のもっとも肝心な性質であり、これを無視した機械論的／物質科学的な生物学だけでは、生命を語るのに十分でないのである。ＡＰＳは、物質的というより位相的な関係を表しているのだ。生物は両面をもっているが、位相的関係は「有機構成（organization）」とされ、目に見える物質的関係である「構造（structure）」から区別される。

［★03］Maturana and Varela *Autopoiesis*, opt. cit.
［★04］『オートポイエーシス』、前掲訳書、70～75頁

生物の認知世界は、情報の伝達という問題、とりわけ意味解釈の問題と直接つながっている。ロボット同士の情報伝達は記号の送受信であり、その効率はシャノンの情報理論で分析できる。これは機械を外側からとらえるコンピューティング・パラダイムにもとづく従来の情報科学／情報通信工学の分析アプローチである。これを、人間同士の情報の意味の伝達にそのまま流用しようとすれば、根本的な混乱が生じるのである。意味とはむしろ人間の心や身体のなかに発生するものだと考えると、オートポイエーシス理論を情報学に導入する正当性が明確になってくる。

こうして基礎情報学は、基本的にオートポイエーシス理論をベースとし、ネオ・サイバネティクスの一分野として位置づけられる。このことは、すでに『基礎情報学』『続 基礎情報学』に明示されている通りである[★05]。とはいえ、ここで大きな問題が生じる。APSは閉鎖系であり、とすれば、そこで情報伝達という概念をいかにして理論化できるのであろうか。実際、APSは作動的には情報伝達に関して「閉じて」いるのである。「オートポイエーシスを維持するために、（自己言及）システムは、環境からの情報にたいして作動的に（または有機構成という点で）閉じていなければならない」と、クラークとハンセンは述べている[★06]。マトゥラーナは「言語をつうじての情報伝達はありえない」と断じ、「厳密には、話し手から聞き手への思想の伝達はなにもない。聞き手は、自分の認知領域に、相互作用をつうじて不確かさを縮小しながら情報をつくり出すのである」とさえ述べているのである[★07]。

社会的な情報とは、平たくいえば、人間の観察と記述にもとづく存在である。その仕方が個人や組織によって異なることが、サイバネティック・パラダイムとくにオートポイエーシス理論を導入する動機だったわけだ。しかしAPSそのものは、観察や記述とは一種異なる次元で、ひたすら行為し作動する存在に他ならないのである。自己言及的に作動しているシステムのありさまを「内側から」観察し記述するというのは、論理的には困難ではないであろうか。しかし一方、人間は言語などを介して社会環境と相互作用しているので、そのありさまをまったく観察記述できないとすれば、理論として脆弱なものとなってしまう。主にこの点が引き金となって、オートポイエーシス理論の研究展開のなかに分裂が生じた。

マトゥラーナはみずからのオートポイエーシス理論を拡大発展させ、広く人間の社会活動をふくむ一般理論として位置づけようとした。そこには言語活動もふくまれ、観察や記述も需要なポイントとなる。一方ヴァレラは、APSシステムを生物の定義に極限し、より包括的なシステム理論として、構成的閉鎖系モデルにもとづく「オートノマス（自律的）システム理論」を提示した。その内容はヴァレラの主著である『生物学的自律の原理（*Principles of Biological Autonomy*）』に示されている[★08]。この理論をふまえて、ヴァレラは「エナクティブ認知科学」という新分野を拓こうと努力したのである[★09]。

分裂はそれだけではない。たとえば、オートポイエーシス理論を日本に紹介した科学哲学者の河

[★05]『基礎情報学』、前掲、2004年、および、『続 基礎情報学』、前掲、2008年
[★06]「ネオ・サイバネティックな創発」、『基礎情報学のヴァイアビリティ』、前掲、邦訳192頁
[★07]『オートポイエーシス』、前掲訳書、203〜204頁
[★08] Varela, F. *Principles of Biological Autonomy*, Elsevier/North Holland, NY, 1979. ならびに、*Autonomie et Connaissance*, opt. cit.
[★09] Verela, F., Thompson, E., and Rosch, E. *The Embodied Mind*, MIT Press, Cambridge, 1991.［田中靖夫訳『身体化された心』工作舎、2001年］

本英夫は、APSの作動／行為そのものに純粋に着目し、身体論などの分野で検討を続けている［★10］。以上のように、オートポイエーシス理論（とその応用）といっても、現時点で詳細に眺めるとかなり研究者によって異なるものになっている（それぞれの詳細については類書を参照していただきたい）。では基礎情報学は、情報伝達と閉鎖システムという矛盾をどう解決したのであろうか。これについては、第3章で述べることにする。

2・2　機能的分化社会理論

オートポイエーシス理論を拡張し、生物のみならず、心（意識）や社会といった対象をふくむ抽象理論としたいという方向性は当初からあった。端的には社会や人間の心をAPSと見なすということである。だが、そのためには、解決すべき難問がある。それは社会の構成素として人間（の心）を位置づけてよいのか、という点である。これは言語コミュニケーションを中心とする情報学においても枢要な問題に他ならない。前述のようにAPSは構成素が構成素を産出するネットワークである。通常の考え方では、主体的に言語コミュニケーションをおこなう人間が社会をつくるのだが、このAPSの定義によれば、人間（の心）が直接社会の構成素となることはできない。社会が人間を産出するのではないからである。つまり、APSは別のAPSの構成素とはなりえないから、社会と人間（の心）をともにAPSとしてモデル化することは理論的に不可能なのだ。

マトゥラーナやヴァレラを悩ませたこの難問を見事に解決したのは理論社会学者のニクラス・ルーマンだった。ルーマンはタルコット・パーソンズの構造的／機能的システム理論をふまえて20世紀半ばから社会システム理論を研究していたが、１９８０年代以降に、オートポイエーシス理論を組み込んだ斬新な社会理論を構築した[★11]。そこでは社会システムも心的システムもともにＡＰＳとしてモデル化されている。注目すべきは、社会システムの構成素が人間ではなく「コミュニケーション」だということである。コミュニケーションがコミュニケーションをつくるという自己準拠的メカニズムのもとに、社会のありさまを分析し説明するのがルーマンの社会理論に他ならない。そこでは、社会というものの全体が、法システム、経済システム、学問システム、文学システムなどといった多様で相対的なシステムの集まりとしてとらえられており、それゆえ「機能的分化社会理論」と呼ばれる。内容的には難解と言われるが、現在、機能的分化社会理論は理論社会学の主流となっており、国内外の研究者による訳書や研究書、解説書、啓蒙書などの類も少なくないので、ここであらためてその内容を紹介するまでもないであろう。ネオ・サイバネティクスにおける最大の研究分野といって過言ではない[★12]。

オートポイエーシス理論はきわめて重要な理論であるにも関わらず、そのアプローチが科学としては異端なほど哲学的なため、学界では無視されることが多かった。その存在が一般に知られるようになったのは、ルーマンがみずからの社会理論にそれを導入して以来のことなのである。現在な

[★10] 河本英夫『システム現象学――オートポイエーシスの第四領域』新曜社、２００６年、など。
[★11] Luhmann, N. *Soziale Systeme*, Suhrkamp, Frankfurt, 1984.［佐藤勉（監訳）『社会システム理論　上下』恒星社厚生閣、１９９３〜１９９５年］
[★12] Luhmann, N. *Die Gesellschaft der Gesellschaft I & II*, Suhrkamp, Frankfurt, 1997.［馬場靖雄＋赤堀三郎＋菅原謙＋高橋徹（共訳）『社会の社会１・２』法政大学出版局、２００９年］

お、理系の生物学の分野では相変わらず物質科学の方法論が主流であり、オートポイエーシス理論は専門家にさえ十分理解されてはいない。これに対して、ルーマンの機能的分化社会理論は、文系の学者に比較的広く知られており、その著書は社会学者の必読書にもなりつつある。とはいえ後述するように、そのことが、本来は理系のサイバネティクスから発したオートポイエーシス理論の受容について、一種の偏りや誤解をもたらしていることも、一言指摘しておく必要があるであろう。

ルーマンの社会理論において、コミュニケーションはコミュニケーションを自己準拠的に発生させ、そういう過程が連続していくことによって社会システムは維持される。そこで出現するのが、パーソンズの象徴的一般化メディアを受け継いだ「成果メディア（Erfolgsmedien）」である。伝播メディアと呼ばれる通常のメディアはテレビ、ラジオ、新聞、インターネット、郵便、電話などで、主として記号の物理的な流通拡大にかかわるのだが、成果メディアはコミュニケーションの論理的、意味的なつながりを可能にするのだ。たとえば、経済システムなら「貨幣」、学問システムなら「真理」といった類である。

要するに、ある意味領域を象徴し、これを導く概念が成果メディアなのである。逆にいうと、学問システムにおいて、真理と無関係な言説、たとえば「この学説のほうがお金がもうかる」とか「あの学者は嫌な奴だから彼の論文は拒絶せよ」などというのは、コミュニケーションの素材にはなりえない。現実には学者の世界も、さまざまな思惑が乱れ飛ぶ魑魅魍魎の世界かもしれないが、「真理」という成果メディアによって複雑性は縮減され、学問システムとして継続的に維持されることになるのである。最近は経済利得計算が学問の世界にも入りこんでいるようだが、本来、それは学問システムのコミュニケーションとはなりえないのだ。学問システムと経済システムは相対的な並列関係にあるのである。このように、機能的分化社会理論において、意味作用とはシステムの複雑性を縮減する形式としてとらえられるのである。

社会におけるコミュニケーションによる意味作用というのは、情報学にとって本質的なテーマである。だから基礎情報学においても、社会システムの構成素は「コミュニケーション」に他ならない。さらに、コミュニケーションが継起していくための成果メディアという理論装置も、ルーマンの議論を基本的に踏襲している。しかし、後述するように、基礎情報学と機能的分化社会理論とは根本的に異なる点があるのだ。端的にはそれは、「情報」という概念のとらえ方である。基礎情報学は情報の学問であり、ゆえにその対象のとらえ方の相違から、基礎情報学の内容はルーマンの議論から決定的に離反していかざるをえない。理論を組み立てる細かい概念のなかには共通点もあるにせよ、基礎情報学をルーマンの理論社会学の一部あるいは類似した議論だと見なすのは完全な誤解である。

機能的分化社会理論において、情報とはいったい如何なるものと見なされるのであろうか。くりかえしになるが、APSは閉鎖系であるから、人間（の心）がAPSであるなら人間のあいだの情報伝達はありえない。その代わりに、ルーマンの議論においては、社会システムの構成素であるコミュニケーションが「情報／伝達／理解」の三要素からなるとされる。つまり、情報は人間（の心）からいったん切り離され、社会システム内部のコミュニケーションという「出来事」を形づくる要素とされるのだ。ここで情報、伝達、理解はそれぞれ、選択過程に他ならない。さまざまな可能性の中から、「今回はこの情報をとりあげる」というように選ばれるのである。そしてそれを如何にして伝達するか、さらに、伝達された情報をどのように理解するのか、というのもまた多くの可能

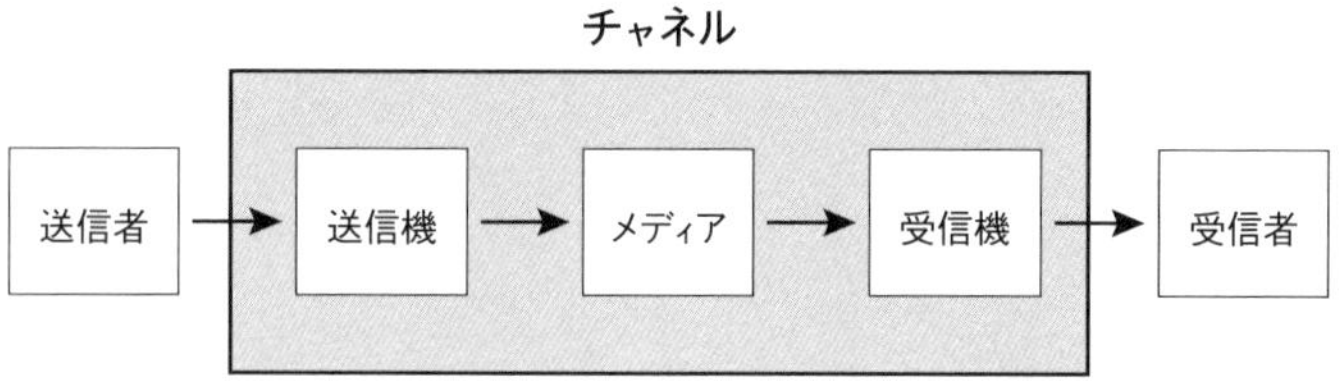

図2　シャノン&ウィーバー・モデルを単純に拡張した
社会的コミュニケーション・モデル（『基礎情報学』p.48より）

性からの選択だということになる。そして三つの選択の結果としてコミュニケーションが現実化され、さらにそれは継続するコミュニケーションの実現を準備するのである。

シャノンの情報伝達図式を考えれば、伝達の仕方が選択されるというのはもっとも分かりやすい。ある情報をいかなる記号で伝達するかという「符号化」の選択はまさにこれに対応している。記号の担う意味内容は、そこでは捨象されてよい。だが、情報や理解という過程における「選択」とはどういうことであろうか。端的にはそれは、シャノンの情報理論の通俗的解釈における「意味をふくんだ情報」のやりとりのモデルと重なってくる。要するに、そこでは「意味（Sinn）の選択」がおこなわれることになるのだ。何を情報として選ぶかは、実は「意味」の地平からの選択であり、いわば意味を素材にして情報が成立するのである［★13］。そして、理解の過程とは、伝えられた情報の意味をいかに解釈するかということに他ならない。

ルーマンによる情報関連の定式化は、したがって、シャノン&ウィーバーの通信モデルを単純に拡張したいわゆる図2の「社会的コミュニケーション・モデル」に近いことが分かるであろう（第3章の図4を参照）。

むろん言うまでもなく、ネオ・サイバネティシャンであるルーマンのモデルは、表面的には、送信者から受信者に情報が伝達される開放系の社会的コミュニケーション・モデルとは異なる。あくまで社会システムというＡＰＳの内部で情報が発生するという閉鎖系モデルになっている。しかし実はそこでは、送信者と受信者がモデルから切り離され、潜在化しているにすぎない。実際、意味の本来の発生源は送信者であり、その解釈者は受信者以外ではないのだ。ルーマンはむろんそのことを承知しているが、その点は心的システムと社会システムの相互浸透として副次的に扱われるにとどまる。心的システムは「思考」を構成素とするＡＰＳではあるが、ルーマンの機能的分化社会理論においては、あくまで社会システムが議論の中心なのである。

こうして、機能的分化社会理論の特徴がはっきりしてくる。それは現代社会のありさまを説明する社会学の議論としてはきわめて精緻にできあがっているが、その代償として、ネオ・サイバネティクスの本質である生命論からは遠ざかっていくのだ。論理的整合性を高めようとして、コンピューティング・パラダイムをうんだ論理主義に近づいたと言えるかもしれない。前述のようにサイバネティクスとは本来、動物と機械にまたがる知として誕生し、そこから逆に、人間をふくむ生物特有の、個々の「認知世界」を構成していくというネオ・サイバネティクスの知がもたらされたのだった。ルーマンはその精華であるオートポイエーシス理論を自分の社会理論に組み込んだが、このときにＡＰＳを、多様な生命体ではなく多様な社会システムに巧妙に置き換えたのである。だが、

［★13］大黒岳彦「情報的世界観と基礎情報学」、『基礎情報学のヴァイアビリティ』、前掲、１３４〜１３８頁

この置換操作にともなう「情報」の定義は、情報や意味の起源を問う基礎情報学にとって決して首肯できるものではない。

最大の問題点は、ルーマンの情報のとらえ方のもとで、システム論そのものが生命的というより機械的な様相をおびることだ。機能的分化社会理論においては、経済システムや学問システムなど各種の社会システムがそれぞれ「観察」をおこなうということになる。だが意味作用をともなう観察や記述という行為は、いったい生物以外の存在にとって可能なのであろうか？

――ネオ・サイバネティクスにもとづけば困難だということになるが、コンピューティング・パラダイムにもとづくＡＩの立場からは、機械にも不可能ではないという議論が出てくるはずだ。また、情報が何らかの意味の選択だという議論は、辞書的な意味をデータとして機械的に操作し選択するＡＩの自然言語処理を連想させる。そこでは、「あくまで人間をふくめ生物が情報を創りだす」というネオ・サイバネティクス特有の重要な視点が希薄化し、生物と機械の境界も曖昧になっていくのだ。

すなわち、機能的分化社会理論にそった議論をするかぎり、人間が機械部品化されていく社会潮流を批判する「反ホモ・デウス」の議論は出てこない。このことは、ルーマン社会理論にたいする、ユルゲン・ハーバマスを筆頭とする１９７０年代からの一般的な批判とも関連している［★14］。ルーマンの社会理論は、社会のありさまを保守的立場から上手に説明することはできても、社会のゆがみを暴き、その望ましいあり方を導く批判理論にはなりにくいということである。

2・3 ラディカル構成主義心理学

ルーマンの機能的分化社会理論が社会に着目したネオ・サイバネティクス分野だとすれば、個人の心に着目したネオ・サイバネティクス分野が「ラディカル構成主義の発達心理学」に他ならない。これは、エルンスト・フォン・グレーザーズフェルドによって１９７０年代半ばから構築された。

グレーザーズフェルドはオーストリア生まれで米国に移住した心理学者であり、はじめ数学を専攻したが、やがて機械翻訳などコンピュータ言語学の研究に従事し、その後に認知心理学や教育学の分野に移った学際的な研究者である。数多くの論文があるが、著書は『ラディカル構成主義（*Radical Constructivism*）』[★15]だけであり、算数／数学教育の専門分野をのぞけば、日本での知名度はそれほど高いとは言えない。しかし、同書によれば、この人物が哲学をふくめ広い視野をもつネオ・サイバネティクスの本格的研究者であることは明瞭である。その議論はこれまで、教育工学をはじめ、あまりに狭い文脈でとらえられてきたのではないであろうか。より広くネオ・サイバネティクスの一環としてとらえ直すことで、グレーザーズフェルドのラディカル構成主義の心理学は、今後多くの関連分野に深い影響をあたえるポテンシャルを有している。

［★14］Habermas, J. + Luhmann, N. *Theorie der Gesellschaft order Sozzialtechnologie*, Suhrkamp, Frankfurt, 1971.［佐藤嘉一＋山口節郎＋藤沢賢一郎訳『批判理論と社会システム理論　上下』、木鐸社、１９８４〜１９８７年］

［★15］Glasersfeld, E. von *Radical Constructivism*, Routledge, 1995.［西垣通（監修）、橋本渉（訳）『ラディカル構成主義』ＮＴＴ出版、２０１０年］

忘れてはならない最大のポイントは、ラディカル構成主義の心理学が、サイバネティクスとともに、スイスのジャン・ピアジェの発達心理学を支柱としていることである。あえて言えば、グレーザーズフェルドのラディカル構成主義心理学こそ、ピアジェの議論をもっとも正統的に受け継いだ学問といっても過言ではない。ピアジェは世界的に著名な心理学者であり、その多大な影響は日本でも周知の通りである。にもかかわらず、その受容の仕方に大きな誤解があることも確かだ。ピアジェの専門は発生的認識論だが、これを「幼児が客観世界をいかにして認識していくか」に関する学問だと通俗的に理解している教育者は少なくない。そうなると、幼児の学習は、深層学習などのＡＩ技術によってコンピュータが各種のパターンを分類できるようになる機械学習と酷似したものとなってしまう。実はそうではなく、「幼児がみずからの認知世界を主観的に構成していく」というプロセスこそ、ピアジェが探究したものだった。

周知のように、ピアジェの発達心理学におけるキー概念は、「均衡化」と「(再）調節」である。行為への欲求とは心の内的な不均衡から生じるものであり、みずからを再調整することが学習につながるのだ。「各瞬間で、外界または内界の中で生じる変化によって、活動の均衡が破られる。そして均衡を回復するだけでなく、この攪乱以前の状態の均衡よりもさらに安定した均衡へと向うという点に、それぞれの新しい行為が成り立つのだ」とピアジェは述べている[★16]。さて、ここでいう均衡化と調節を、あたかも機械がフィードバックによって安定状態を維持するように、学習者が既存の客観的な実在をただしく認知することである、とコンピューティング・パラダイムにもとづいて解釈するなら、それは大きな誤解に他ならない。ピアジェは、思考する主体は自分の経験する限界を超えることはできないと考えていた。主体が既成の世界に生まれ、その世界を「発見」して「知識」として獲得していくのではない。実行可能（viable）な概念構造を自分の内部に構成することこそ、主体がやることであり、認知とは「適応の道具」に他ならないというのが、ピアジェの主張なのだと、グレーザーズフェルドは強調するのである[★17]。

ピアジェは生物学者として出発した。そして人間の認知活動を生物学的（進化史的）な視点から眺めていたのである。グレーザーズフェルドによれば、ピアジェの理論の中でもっとも重要なのは、「生物を宇宙の他の事物と差別化しているのは、内的環境への関係と、外的な攪乱があるにもかかわらず内的な均衡状態を活動的に維持しようとする相対的能力であるという想定」なのである[★18]。草食獣は肉食獣から逃れるためには、隠れる穴を掘ってもいいし、速く走ってもいいし、体を大きくして集団で立ち向かってもいい。要するに生存可能性（viability）を高めることが肝心であり、認知活動も「道具」としてその一環をなすのだ。客観世界との「一致（match）」ではなく、経験世界への多様な「適合（fit）」がありうるのだ。この点でピアジェは、「普遍的な理性」をもつ人間を特別視し、存在論的な実在の認識を問おうとした西洋の伝統的哲学者とは根本的に異なっている。そしてまた、そういう古典的認識論と格闘することもなしに、客観世界の素朴実在論を浅薄に信じこみ、皮相的にピアジェの議論を解釈して人間機械論に陥りがちな日本の教育工学者とも、いっそう異なっているのである。

人間を生物の一員と見なし、個々の主観世界から立ち上がる自己準拠的な認知活動を分析すると

[★16] ピアジェ、J.『思考の心理学』滝沢武久訳、みすず書房、1968年、14頁
[★17]『ラディカル構成主義』、前掲訳書、17〜18頁、144頁
[★18] 同右訳書、348頁

いうアプローチは、まさにサイバネティック・パラダイムと重なっている。ピアジェが認知活動に関して述べる「均衡による安定性」とは、客観世界におけるフィードバックによる安定性というより、フォン・フェルスターが論じた主観的システムの固有値がもたらす安定性なのだ。

ピアジェは1896年生まれ、没年は1980年で、ウィーナー（1894〜1964）と同世代である。だが、その学問的方向性は早くも、古典的サイバネティクスではなく、1970年代に誕生したネオ・サイバネティクスの理念を一部先取りしていたと言えるかもしれない。したがって、19世紀末に活躍した心理学の先達ウィリアム・ジェイムズと同じく、ネオ・サイバネティクスの先蹤の一人と位置づけることも可能であろう。

グレーザーズフェルドのラディカル構成主義心理学とは、要するに、このピアジェの発生的認識論を、1970年以降のネオ・サイバネティクスの潮流のなかでとらえ直し、発展させた心理学の分野に他ならない。その本質を、グレーザーズフェルドの記述を引用してまとめると次のようになる。

ラディカル構成主義とは何か。それは、知識と知る行為という二つの問題に対する型破りなアプローチである。ラディカル構成主義は、知識をどのように定義したところで、知識は人の頭の中に存しており、思考主体は自らの経験を基礎として自ら知っていることを構成する以外に他にないという前提から出発する。われわれが経験を用いて構成しているものは、われわれが意識しながら生きている唯一の世界をなす。それは、事物、自我、他者などのような多くの種類に分類することが可能だ。しかし、あらゆる種類の経験は本質的に主観的なものである[★19]。

では、ラディカル構成主義心理学と基礎情報学の関係は、いったい如何なるものであろうか。まず注目すべきことは、ルーマンの探究した社会システムにおいて、構成素は「コミュニケーション」だったが、これは比較的短期的、瞬間的な出来事だということだ。皆が一堂に会して話し合っているときの情報授受のありさまを思い浮かべればよい。これに対して、ラディカル構成主義においては、何年にもわたるような長期的な学習や知識獲得といった、学習者の発達のプロセスがテーマとなる。しかもそれは、社会的というより、個人的な心的システムにおける出来事なのだ。つまり、コミュニケーションが積み重ねられることによる、心的システムの変容が問われるのである。これは情報学にとっても興味深いテーマであるが、その際、学習する個人と社会との関係を無視することはできない。とりわけ子供は、家族や友人との社会的なコミュニケーションの中で学んでいくはずである。

さらに知識にもいろいろある。子供は、幼児のときは、ピアジェが力説したように、生活を通じて経験世界に適応できるよう、みずから基本的な概念を構成していくのは確かである。だが、やがて学校に行けば、半ば強制的に、多様な知識をあたかも「(既成の) 客観的知識」のように、記憶し習得するための「勉強」をおこなうことになるのである。この違いは、幼児の母語学習と、長じて学校で習う外国語学習を比較すれば分かりやすい。

[★19] 同右訳書、16頁

母語学習においては、ピアジェの議論はきわめて正当性をもつが、初歩の外国語学習においては、経験世界からひとまず切り離され、教科書と辞書から得られた客観的知識の暗記にとどまることが多いのだ。外国語だけでなく、歴史でも法律でも同じことである。言いかえるとこれは、「個人」というより「社会」のなかに、共同（間）主観的に形成された「客観的知識と見なされる意味のストック」が貯蔵されており、個人はこれを学ばないと社会生活を支障なくおくれない、ということに対応している[★20]。人々はこの意味のストックを用いて意思疎通をおこなっているのだから、情報学的には、この点もきわめて重要である。ラディカル構成主義心理学は「個人の心」が対象だが、基礎情報学では、個人の心とともに「社会」をも扱わなくてはならない。

社会に貯蔵され、人々が学ぶことになる「意味のストック」の内容自体も長期的には変容していく。たとえば、「実子への財産相続のとき、性別や年齢によって差別してはならない」という考え方は、20世紀前半の日本にはなかったが、現在では広く認められている。つまり、長期的には、個人だけでなく、社会も学ぶのだ。ある考え方や意味内容が時間をかけて伝わっていく意味伝播作用のことを、基礎情報学では「プロパゲーション」と呼ぶ。第3章で詳しく述べるように、プロパゲーションはコミュニケーションとともに基礎情報学の鍵概念となるのである。

2・4　文学システム論

総合学問としてのネオ・サイバネティクスを言上げした一人は米国の文学者ブルース・クラークだが、ここで「文学システム論」という20世紀末に生まれた新しい学問分野について言及しておかなくてはならない。これは右に述べた（ラディカル）構成主義的な芸術論に他ならない。

従来の近代的な文学研究はテクスト分析が中心であり、テクストの中にあらゆる意味内容がこめられていると考えられていた。ゆえに、テクストの中に表象された世界のありさまが問われたのである。これは、いわゆる言語論的転回以降の、論理主義をふまえて登場した英米系の分析哲学に重なり、また大陸系の構造主義／ポスト構想主義とも馴染む考え方だった。さらにそれは、「テクストという記号列の中にすべてがある」という点では、コンピューティング・パラダイムとも平仄《ひょうそく》が合っていたと言ってよい。

だが一方、文学システム論においては、客観的所与として意味や価値がテクストの中にあるとは見なさない。文学システム論の旗手として国際的に知られるドイツのジークフリート・シュミットは、「文学テクストから文学システムへ」という標語を掲げ、「意味の構成は自己組織的な認知システム／コミュニケーション・システムのうちに位置づけられるべき」だと述べる。「鍵となる問題は、もはや文学テクストが何を意味するかではなく、いかにシステムが、文学的な社会システムという枠組みのなかで、文学現象の創作・処理・評価・正典化などをおこなうのかという問題である」、「意味は、もはやテクスト自体に内在するものとしてではなく、テクスト素材の処理において認知的・コミュニケーション的に構成されたものと見なされる」というわけだ[★21]。

[★20] ルーマンはこの意味のストックを意味論（Semantik）と呼んだ。『基礎情報学』１７７〜１８０頁を参照。

[★21] Siegfried, J. S. The Logic of Observation, *Canadian Review of Comparative Literature*, 19(3), Sept. 1992.［大井奈美＋橋本渉（共訳）「観察の論理」、『思想』、１０３５号、２０１０年７月］、邦訳71〜72頁

要するに、文学テクストの分析や解釈のみに集中する従来の文学研究から決別し、作家や読者など関係者による観察や記述という経験的な行為をふくめた、総合的な社会的活動という見地から、より広く文学現象をとらえようとするのである。ただしそこでの観察や記述は、閉鎖系の中であくまで「構成」されるものであり、既成の世界を「表象」するものではない。だから観察記述の正当性や安定性は、フォン・フェルスターの論じた「二次観察（観察行為の観察）」や数学的固有値の追求メカニズムによって保証されるのである。こういう考え方は「作動的構成主義（operative constructivism）」と呼ばれる。

小説や詩などの文学作品は、むろん作家や読者の心的な認知活動をベースにしているが、それだけではない。一方で出版メディアや文学批評といった社会的なコミュニケーション活動ともかかわっており、両者はマスメディアなどを介して相互作用するのである。実行可能な「アクチュアリティ」は、こうした相互作用を通じて構成されていく。そして、そのダイナミズムをあくまで「自己準拠的に閉じたシステム」として考察するのが文学システム論と言ってよい。この点で、あくまで個人の心の分析に重点をおいたグレーザーズフェルドのラディカル構成主義心理学や、他方、社会の分析に主眼のあるルーマン社会理論とは異なるといえるであろう。

だが、このことから、文学システム論には二つの流派が並立することになった（なお、以下の議論は大井奈美の論文「ネオ・サイバネティクスと文学研究」［★22］にまとめられているので、詳細は同論文を参照していただきたい）。第一はドイツのシュミットを中心とする、ラディカル構成主義にもとづく流派である。第二は、ルーマン社会理論に依拠する流派であり、オランダのプランゲルや、ドイツのプルンペ、シュヴァーニッツらが中心だ。いずれも構成主義的な文学システム論を展開しているが、かなり本質的な違いもあり、それゆえ互いに批判し合いながら発展してきた。

ここでは、基礎情報学の観点から、システム論的な最大の相違点だけを指摘しておこう。ラディカル構成主義派のシュミットの議論では、文学とは「行為者を構成素とする社会システム」に他ならない。行為者とは「テクストの生産・媒介・受容・加工（評論など）という四つのコミュニケーション役割をもった生命システム」のことである。ここでのコミュニケーションとは、意味内容の伝達ではなく、「作動的閉鎖系としてのシステム同士がテクストを介して行為調整をしあう、社会的活動」なのだ[★23]。従来の文学観とは違って、文学性はテクストの属性ではなく、生命システム同士の相互行為、つまり具体的には、作家や編集者、メディア関係者、読者など文学関係者間の交流や各種の関わりという観点からとらえられるのである。

ところでここで、前述の「APSはAPSの構成素たりえない」という論点を想起しておこう。生命システム（具体的には文学関係者の心的システム）がAPSとすれば、それは定義上、APSとしての社会システムの構成素たりえない。なぜなら、生命システムは文学の社会システムから産出されるわけではないからだ。だからこそ、ルーマン社会理論においては、社会システムの構成素として、人間ではなく「コミュニケーション」が採用されたのだった。それゆえ、シュミットの議論における「社会システム」は、APSではない。その代わりに、社会学者ヘイルによる自己組織的な社会モデルが採用されており、そこでは、構成素である行為者同士の社会的な相互作用によって

［★22］大井奈美「ネオ・サイバネティクスと文学研究」、『思想』、1035号、2010年7月、131〜147頁
［★23］同右論文、133頁

システムが構成されていくのである。

一方、プランゲルやプルンペなどのルーマン社会理論派においては、当然ながら、文学社会システムはAPSであり、その構成素はコミュニケーションに他ならない。そこでは、テクストの意味が構成主義的に解釈される。前述のように、機能的分化社会理論において、コミュニケーションは「情報／伝達／理解」の三つから成り立つ。プランゲルは、テクストを「伝達」、コンテクストを「情報」、そして両者の差異からなるテクスト解釈を「理解」と位置づける。たとえテクスト分析上の有効性をもつとしても、この情報観はかなり特異な狭いものであり、基礎情報学と相いれないことは明らかである。さらに一般に、文学テクストへの常識的アプローチからも、かなり隔たっている。

オートポイエーシス理論にもとづく整合的なルーマンの議論を忠実にふまえていることから、ルーマン社会理論派のアプローチが、文学のもつ社会的側面について精密な構成主義的論理を組み立てやすいことは確かであろう。この点で、ラディカル構成主義派は不利である。とはいえ、ルーマンにとっての「意味」とは、「社会的な意味のストック（Semantik）」という概念が示唆するように、社会で普通に通用する辞書的な意味内容に重点がある。だが、作者が苦心してつくる文学作品においては、むしろ、すでに手あかのついた通常の言葉の意味づけは拒否され、身体経験にもとづく斬新な意味づけが希求されるはずだ。そこに、作者による世界のユニークな観察と記述が懐胎し、読者はそのありさまをみずから観察して感動するのである。とすれば、あくまで作者や読者の次元に着目できる点で、ラディカル構成主義派のほうが有利だとも考えられる。

ドイツでは1990年代前半に、システム観をめぐって、両派による激しい論争が繰り広げられた。大井は、両派の相違と長所／短所について論評しているので、以下に要約しておく[★24]。

ラディカル構成主義派は、基本的には創作者や受容者といった生命システムを二次観察の対象とする。ゆえにミクロな分析の視点をもつのだ。ただし、ヘイルの社会システム理論を援用するので、行為者についてだけでなく、文学システムの作動メカニズムについての二次観察をおこなうことができる。他方でルーマン社会理論派は、文学システムが生みだすコミュニケーションを対象にした二次観察をおこなう。その際に観察者として想定されているのは、文学システムや学問システムといった社会システムである。こうした特徴から、彼らは基本的にマクロな分析の視点をもっていると言え、したがって行為者は分析の背景にしりぞいてしまう。とはいえ、テクスト分析については、ルーマン社会理論派のほうが有利である。なぜなら、ラディカル構成主義派は、テクストを、生命システムの意味形成をうながす単なる物理的な「触発装置（Auslöser）」、あるいは相互行為の手段としてしか評価しないからである。

このような対立のため、2000年代以降、ドイツを中心にしたネオ・サイバネティクス研究は1990年代にくらべて停滞状況に陥っているという。ひるがえって日本ではどうであろうか。文学システム論は学際的な研究であり、欧米では一定の影響力をもっているが、日本では学問領域間の壁もあって、大瀧敏夫やシュミットの直弟子である名執基樹などの研究があるものの、それほど広く理解されてきたとは言えない[★25]。

[★24] 原文は、同右論文、140頁を参照。

しかし、文学システム論のような文理にわたるネオ・サイバネティカルな学問の重要性は、21世紀にいっそう高まると期待される。はたして、基礎情報学はそこでいかなる役割を果たすであろうか。大井は、ルーマン社会理論とラディカル構成主義の両方から影響をうけた基礎情報学が、文学システム論の停滞を打破する理論的可能性について指摘している。具体的にはそれは、基礎情報学における、「生命情報／社会情報／機械情報」という概念分類や、生命／心／社会／マスメディアなどの相互関連を階層的にとらえる「階層的自律コミュニケーション・システム（ＨＡＣＳ）」といったモデルによるものだ。それらの内容については、次章で述べていこう。

［★25］日本における文学システム論として、たとえば次の二論文がある。大瀧敏夫他「シュミット理論によるA. Stramm研究」、『ドイツ文学論集』、第67号、１９８１年、１１４〜１２５頁、および、名執基樹「文学システムと文学加工」、『独語独文学科研究年報』、第20号、北海道大学文学部、１９９３年、１９７〜２１４頁。

第Ⅱ部

基礎情報学の核心／生命にもとづく情報学

第3章 APSからHACSへ

3・1 情報を定義する

基礎情報学はいかなる学問的特色をもち、いかなる学問分野として位置づけられるのであろうか。むろんそれはネオ・サイバネティクスの一環なのだが、前章で述べたようにネオ・サイバネティクスにもさまざまな議論がある。ネオ・サイバネティクスは生物学、哲学、工学、社会学、心理学、文学、芸術論などにまたがる広大な21世紀の知的活動であり、その内容は、基本方針自体は一貫していても詳細は必ずしも一致してはいない。

本章では基礎情報学の学問的な狙いや位置づけを明らかにし、とりわけ、ネオ・サイバネティクスという分野における、基礎情報学のもつ理論的な独自性や特長について述べる。この過程で、21世紀の情報社会が抑圧的なものになるか、それとも解放的なものになるかの諸問題もまた照射されてくるはずだ。

当然のことだが、基礎情報学は情報についての学問である。ネオ・サイバネティクスが統一分野として明示的に提唱されたのは２００９年だが、それ以前から、東京大学大学院情報学環において基礎情報学は独立に検討されていた。検討がなされた主な動機としては、情報の扱いをめぐって理系の知と文系の知がまったく分断されており、インターネットをはじめＩＣＴ（情報通信技術）の発達とともに、両者の乖離を等閑視できなくなってきたことがあげられる。前者はいわゆる理系の情報通信工学にかかわり、後者は文系のメディア論やコミュニケーション論にかかわる。20世紀には、前者では大規模計算のような形式的データ処理、後者ではテレビや新聞、組織コミュニケーション、図書分類のあり方などが、それぞれ論じられてきた。いずれにおいても「情報」という用語が使われ、情報社会や情報文化という言葉は頻繁に語られていたが、情報そのものの概念はきわめて曖昧であり、それゆえ混乱が生じていたのである。

大雑把にいうと、理系の知においては、意味内容を問わず、コンピュータで形式的に処理できる０／１のビット列のようなデータが典型的な「情報」である。それゆえ情報量はデータ量と見なされることも多い。一方、文系の知においては、情報のもつ意味内容が問題となる。意味内容の大小は必ずしも計量できるものではないから、たとえば「情報の量が爆発的に増えた社会」とはどういうことなのか、きわめて不明確になる。テレビや新聞などがデジタル化され、インターネットで流通し、さらに機械翻訳をはじめとするＡＩが社会で多用される21世紀には、理系と文系の知が否応なく交じりあう。したがって、文理融合を念頭において、情報概念を根本からきちんと整理することが喫緊のテーマとなってくる。つまり、理系と文系の情報の知を架橋するためのベーシックな議論をおこなうことが、基礎情報学の目的に他ならない。文系の情報の知としては、社会情報学

［★01］などが代表的だが、これとの連携も必要になるはずだ。

情報の定義とは何であろうか。日常生活では、「分からなかったことを分かるようにする何か」とか「知識を増やすもの」とかいった素朴な定義が通用している。だが、「分かる」や「知識」とは何かが明確でないので、学問的な定義とはなりえない。それゆえ「複数の選択肢からの選択結果を示すもの」や「不確定状態を減らすもの」といった定義が採用されることもある。これらは、明らかに１９４０年代に提案されたクロード・シャノンの情報理論を念頭においており、情報工学や通信工学など理系分野に限定すれば、ひとまず厳密な定義と言えるであろう。だが、前述のようにそこでは、情報における「意味」が捨象され（より正確には「意味」が潜在化し）、記号／データ間の形式的関連性が問われているにすぎない［★02］。端的には、シャノンの議論の延長上で文系分野の情報概念を扱うことは不可能なのである。

基礎情報学において「情報」とは、生物にとっての「意味作用を起こすもの」と定義される。同時にそれは「意味構造（記憶）を形成するもの」でもある。すなわち、基礎情報学ではあくまで「意味」を中心に情報をとらえるのである。

ただし、ここでいう「意味」とは生物とくに人間にとっての価値／重要性（significance）に他ならない。すなわち、辞書に並んだ項目記述のような機械的選択の対象ではなく、あくまで生き物の行為と不可分な存在なのである。このようにして、シャノンの情報理論を超え、文系と理系の情報

［★01］西垣通＋伊藤守（編著）『よくわかる社会情報学』ミネルヴァ書房、２０１５年

［★02］情報工学／情報通信工学の観点から見た「データ処理上の意味」はあるが、それは人間社会で通用する「本来の意味」とはまったく異なるものである。

概念を包摂していく方途がひらかれるのだ。なお、意味内容をもつ情報は、物質やエネルギーと異なり、一種の自己準拠的な「パターン」によって体現される。すなわち具体的には、「それによって生物がパターンをつくりだすパターン」が情報の担体《たんたい》となるのである[★03]。

このように基礎情報学では、徹底して生命現象を原点として情報を位置づける。サイバネティクスはそもそも「動物と機械をつなぐ制御と通信」に関する知として出発したのだから、生物への着目はとくに不思議ではない。だが、古典的サイバネティクスでは生物（動物）を機械と同じ開放系と見なすので、そこでの情報概念はシャノンの情報理論と重なる機械的なものとなってしまう。また一方、ネオ・サイバネティクスにおいては逆に、生物を閉鎖系と見なすので生命体内部での意味形成が情報創出とむすびつくが、その代わりに「伝達される情報」という概念は矛盾をもたらしてしまう。それゆえ、オートポイエーシス理論では情報概念は原則として排除されるのだ。この矛盾を解決する情報概念こそ、ネオ・サイバネティクスにおける基礎情報学の第一の理論的特徴だと言ってよい（なお前述のように、ルーマンの機能的分化社会理論にはシャノン流の機械的な情報概念が部分的に用いられているが、この結果、生命現象と意味とのつながりは希薄化してしまう）。

3・2 生命情報／社会情報／機械情報

情報の意味形成における閉鎖性という生物の主観的側面を保ったまま、いかにして客観的で開放的な「情報伝達」という概念を位置づけるか、それが解くべき課題となってくる。基礎情報学では、このためにまず、情報を「生命情報（life information）」「社会情報（social information）」「機械情報

(mechanical information)」の三種類に分類する。これらは次の包含関係を満たしており、対等ではない。

生命情報 ⊇ 社会情報 ⊇ 機械情報

生命情報は最広義の情報であり、社会情報は狭義の情報である。人間社会で日常的に用いられる情報とは社会情報に他ならない。また機械情報は最狭義の情報であって、シャノン情報理論における情報概念に対応している。コンピュータで処理されるデジタル情報は典型的な機械情報と言える。きわめて大雑把に言えば、従来の文系学問における情報は社会情報、従来の理系学問における情報は機械情報にそれぞれ対応するわけだ。たとえば新聞やテレビで語られる情報は社会情報なのだが、その配布流通におけるデータは機械情報として位置づけられる。三種類の情報分類の詳細は『続 基礎情報学』[★04]を参照していただきたい。

あらゆる情報は「生命情報」であり、これが基礎情報学における根本的な情報概念に他ならない。生命情報は、生命体内部で創出され、意味作用を起こし、意味構造を形成する。人間だけでなく、ゴキブリのような動物でも、外界から餌の匂いなどの刺激をうけ、それをみずからのやり方で自己準拠的に解釈して捕食や逃走などの行動を起こす。それが意味作用であり、その際には同時にゴキ

[★03] 前掲の『基礎情報学』24〜27頁、および『続 基礎情報学』3〜7頁、を参照。
[★04]『続 基礎情報学』、前掲、13〜21頁

ブリの身体内部の神経などで意味構造の変化が起きているのだ。餌にたいするゴキブリの行動は、たとえ機械的（客観的）反応のように見えても、実はそうではなく、遺伝や記憶に支えられた自己準拠的で主観的な反応なのである。人間社会におけるコミュニケーションやコンピュータ間の交信も、根源的には生命情報に発していることを忘れてはならない（なお、ここでいう「生命情報」は、分子生物学で用いられるＤＮＡ遺伝情報とは概念的にまったく異なる。ＤＮＡ遺伝情報もむろん生命情報の一種には違いないが、ワトソンとクリックの二重らせんモデルではむしろ機械情報に近いものと位置づけられる）。

生命情報は、生物とともに地上のいたるところに遍く存在しているが、その大半はわれわれに認知されることはない（認知されない生命情報はとくに「原情報」と呼ばれる）。われわれ人間の認知活動、より精確には人間の心的システムによる観察行為を通じて、生命情報ははじめて「社会情報」に転化する。このとき記号化が実行され、記号で表された情報は顕在的な存在として立ち現れる。言語表現はその代表的なものだ。つまり、社会情報とは、われわれ人間が生命情報（原情報）と相互作用し、人間社会で通用する概念をもとにとらえ直し、さらに言語などの記号（シンボル）を用いて明示的に記述することによって誕生するものなのである[★05]。ジェイムズ＝ランゲ説が主張するように、「悲しい（という記号が心中にある）から涙が出る」のではなく、「涙が出る（という身体の変化がある）から悲しい（という感情表現が生まれる）」のである。

なお、相互作用の対象となる生命情報とは、たとえば、人間の脳神経におけるパターンなどであり、それが意味構造に対応している。こう考えれば、いわゆる「コミュニケーションにおいて、情報の意味解釈を機械的におこなうことの困難性」は自明となるはずだ。われわれが他人と会話するとき、社会情報が交換されるが、その内容は既存の意味項目のなかから機械的に選択されるようなものではない。社会情報の意味内容は、会話する個々の人間の心のなかで、刻々とリアルタイムで動的に解釈し直されるものなのである。

次に、「機械情報」は再狭義の情報である。機械情報により、人間社会において、社会情報の交換を時間／空間をこえて実行することが可能となる。平たく言えば、社会情報をあらわす記号パターンを保持したり、運搬したりするためのものが機械情報に他ならない。社会情報は、鳥同士が交わす鳴き声のように一瞬で消えてしまうこともあるが、機械情報に転化されれば、人間社会において永続性をおびることができるのだ。機械情報といっても０／１のデジタル情報だけではない。最初に出現した典型的な機械情報は、数千年前につくられた「文字」である。文字で記された文書によって、社会情報の口頭交換にともなう意味解釈の揺らぎとは関係なく、社会情報を機械的／形式的に長期間保持したり、遠隔地に運搬したりすることが可能となる。

機械情報の特長は、意味内容を潜在化させたまま、記号を保持運搬できることだが、それだけではない。記号を形式的なルールにもとづいて機械的／論理的に加工したり編集したりする方途がひらかれるのである。たとえば昔の王国で、各地の穀物収穫高のような数値データを合計し、税率を掛け算して税収を統計的に算出する、といった処理を想像すればよい。コンピュータを駆使した現代のＡＩも、こういった機械情報の処理の延長上にある。それは「知能」とはいっても、本質的にはデータの形式的処理に他ならないのである。

［★05］『基礎情報学』、前掲、20〜27頁

生命情報から社会情報、さらに機械情報への転化は、現代情報社会のいたるところで日常的におこなわれている。たとえば、ある人が胃痛を感じたとする。この痛みは生命情報であり、本人にしか分からない。内科医の診察室で「先生、お腹がしくしく痛むんです」と訴えたとき、生命情報は社会情報に転化する。医者はカルテにその症状を書き込み、さらにその記録はデジタル電子データ(「胃痛」はＪＩＳ16進コードで３０５Ｆ　４４４Ｂ)として病院のデータベースに入力されるかもしれない。こうして機械情報が誕生することになる。むろん後述するように、「生命情報↓社会情報↓機械情報」という転化は単方向ではなく、逆方向もありうる。さらに、０／１ビット列のような機械情報は、表面的には意味内容が捨象されているように見えるが、実は意味内容は潜在化しているだけなのである。機械情報も、属性が追加されているだけで生命情報の一種であることを忘れてはならない。

3・3　ＨＡＣＳ(階層的自律コミュニケーション・システム)

情報という概念を、生命現象をもとにとらえ直し、さらに三種類に分類し整理したことが基礎情報学の第一の特長である。第二の特長は、オートポイエティック・システム(Autopoietic System: APS)という概念をとらえ直し、「階層的自律コミュニケーション・システム(Hierarchical Autonomous Communication System: HACS)」という名称のもとに再定義したことに他ならない。以下、前者をＡＰＳ、後者をＨＡＣＳと略記する[★06]。

生命体はネオ・サイバネティクスにおいてはＡＰＳに等しいとされる。つまり、自分で自分を創りだす閉鎖システムなのだ。これは生物の定義としてきわめて本質的なものなのだが、情報についての学問的見地からすれば二つの矛盾を招いてしまう。第一の矛盾は、APSは基本的に行為（作動）するシステムであり、その行為（作動）のありさまをいかに認知観察し記述するかは、また別の問題だという点に起因している。APSは閉鎖系だから、これを内側から観察することは厳密には難しい。だがもし観察者がいなければ、対象のAPSの作動は永遠に不可知のままにとどまってしまう。第二は、第一の矛盾とも関連するが、APS間の「情報の伝達」をいかにとらえるのか、という点に他ならない。APSは閉鎖系である以上、情報が異なるAPSのあいだでそっくり伝達されることなどありえない。したがって前述のように、オートポイエーシス理論では、情報という概念は原則として排除されることになるのだ。とはいえ、日常生活では、電子メールなどをはじめ盛んに情報が伝達されると見なされている。ゆえに、そのありさまを精密に語る議論がどうしても求められることになる。

基礎情報学では、これら二つの矛盾を解決するため、HACSというモデルを提示している。HACSはAPSの一種ではあるが、通常のAPSとは異なり、幾つかの理論的属性をもっている。まず、HACSは単独システムではなく、人間の心的システムと構造的カップリングした複合システムとして定義されるのである。つまり、心的システムは対象のAPSと密接に相互作用し、その作動のありさまを人間に分かる記号による社会情報として記述するのだ。こうして、対象APSの作動を「内側から観察記述する」ことが可能となる（なお、HACSは原則として複合システムなの

［★06］HACSの考え方の詳細については『続 基礎情報学』の25〜33頁を参照。

ている)。

だが、人間の心的システムだけは例外的に自己観察という二次操作をおこなう単独システムとして成立し

むろん、閉鎖系であるAPSを観察記述することには、一種の限界性や不完全性がつきまとう。表出される社会情報は、あくまで人間にとっての概念で対象をとらえた結果にすぎないからだ。たとえば、ゴリラの生態を調査したいとする。われわれはゴリラのような感覚器官も脳神経ももたないので、推測をする他はない。だが、ゴリラの身体や行動をまるで機械部品の作動のように分析し形式的に記述することと、生命的な情動をふくむゴリラの行動の意図を察しながら観察記述することの間には巨大な懸隔がある。

こういう認知の限界性は、相手のAPSが動植物でなく人間の他者でも同じことなのだ。どんな対象についても、われわれが宇宙/世界を認知するという行為自体に、限界性/不完全性が宿っている。認知観察にもとづく記述は基本的に一人称的な主観的存在であり、かえって安易に客観的記述を仮定することこそ欺瞞的と言えるのである。むろん、一人称的な主観的記述から三人称的な客観的記述への方途をさぐる現象学的な努力の意義は大きいが、少なくとも基礎情報学においては、人知の能力の限界線をわきまえた議論が重視されるのである。

心的システムとの複合性に並ぶ、HACSの重要な理論的属性として、APSと異なり、階層性がゆるされるという点があげられる。APSは定義上、構成素を産出するシステムなので、それ自体が他のAPSの構成素になることはできない。ゆえに人間のつくる社会システムの構成素は、人間ではなくコミュニケーションなのだ。こうしてAPS同士は、互いに対等な「相互浸透」と呼ばれる関係を結ぶことになる。だが、生物の身体や生物のつくる社会には多様な階層性があり、これ

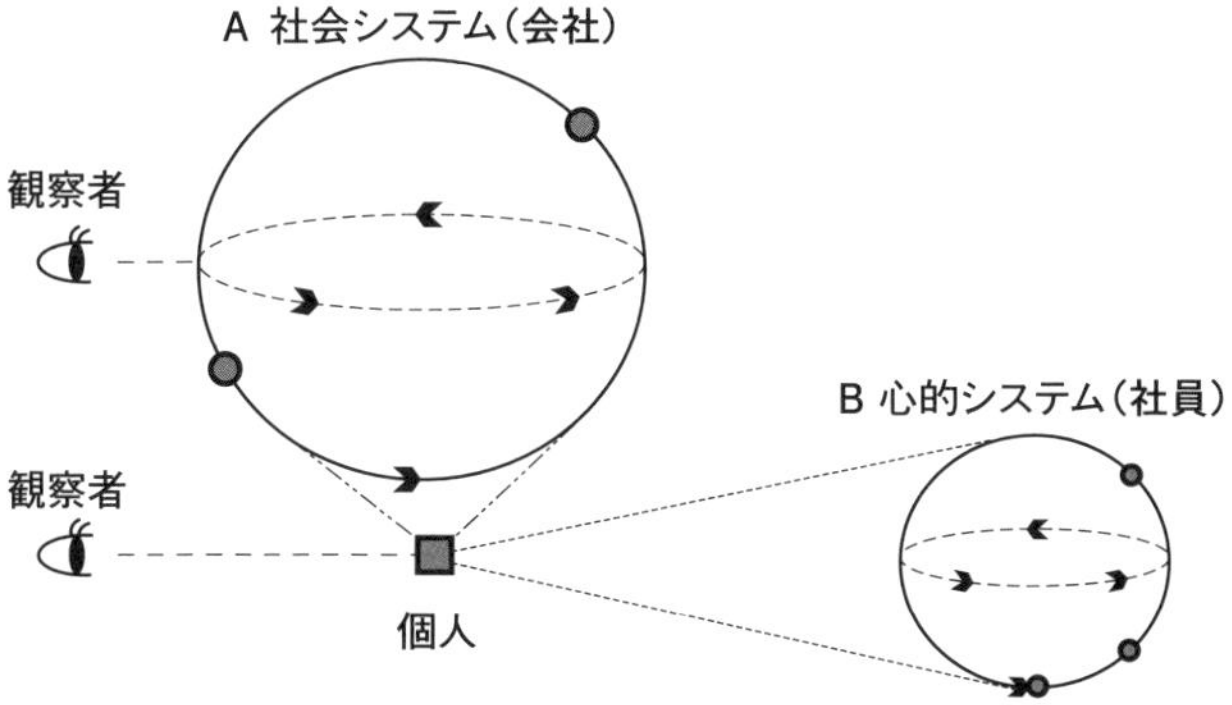

図3　HACS（階層的自律コミュニケーション・システム）の概念
（原図は『基礎情報学のヴァイアビリティ』p.79）

を度外視して一対一の関係にすると、システム同士の組み合わせは膨大になり、分析は極端に複雑化してしまう。

　基礎情報学では、物質的な包含的関係ではなく「作動上の非対称な制約（拘束）関係」として階層性をとらえ直し、「階層性をゆるすＡＰＳ」としてのＨＡＣＳを定義する［★07］。詳しくは『基礎情報学』［★08］を参照していただきたいが、いま、上位ＨＡＣＳであるＡのもとで、下位ＨＡＣＳであるＢが要素システムとして作動しているとしよう。このときＡとカップリングした心的システムから眺めると、Ｂは機械部品のように他律的なアロポイエティック・システムのように見える。Ｂはひたすら、Ａの構成素であるコミュニケーションの素材を提供しているのである。素材の取捨選択はＡによって自己準拠的におこなわれる。取捨選択はＢの作動に影響するから、ＢはＡの制約下にあると言ってよい。とはいえ一方、Ｂとカップリングした心的システムから眺めると、Ａは一種の環境にすぎず、Ｂはあくまで自律的なＡＰＳとして作動しているのである。

　典型的な例をあげてみよう。Ａが会社のシステム、Ｂがその社員の心的システム、という場合だ（図3）。Ａの会議においては、企業活動に関するさまざまなコミュニケーションがおこなわれ、これに参加している心的システムＢからの発言はその素材となりうる。だからＢはＡの制約のもとにある。発言内容が企業活動に有用なものであれば、その意見は会議メンバーによって共有されるであろう。だが、会議の途中で、Ｂの内心では会議と関係のない思考が実行されているかもしれない。社員は会議中に心のなかで、来週末の家族旅行について考える自由をもっている（ただし、それについて会議で発言しても無視されるであろうが）。つまり、Ｂの生物的自律性は損なわれることはない。

　さて、この会議中に実行される「情報伝達」とは何であろうか。それは、Ａにおけるコミュニケーションが滞りなく継起しているということに他ならない。誤解の可能性を完全に排除することはできないにせよ、心的システムＢから発した言葉の意味内容が、他の参加メンバーの心的システムによってそれなりに理解され共有されるからこそ、Ａのコミュニケーションは継続することができるのである。そしてその意味内容はＡのもつ意味構造として、議事録などに記録される。閉鎖系であるＡＰＳ同士の情報伝達とは、それ以上でもそれ以下でもない。

　端的に言えば、上位ＨＡＣＳの下位にある要素的なＨＡＣＳ間での「情報伝達」とは、上位システムの観察者によるコミュニケーションの分析と記述によってとらえることができる。これが基礎情報学の情報伝達モデルなのである。このとき、あるシステムは観察者の視点によって、自律システムに見えたり、他律システムに見えたりする二重性をもつことになる。だがこれはとくに不思議なことではないであろう。社員の心は本来は自由なのだが、社員として企業で勤務しているときは、まるで機械部品のように与えられた機能を果たしているからだ。逆にいえば、そういう制約関係を無視して、ただAPSの閉鎖性／独立性を述べるだけでは、現代情報社会を精確に論じることはできないのである。

まとめると、HACSというのは、あくまで本質的にはAPSとしての性質をもちながら、そこに（人間による）観察記述と階層性という属性を付加したシステムに他ならない。したがって、HACSはAPSの下位概念であり、

APS ⊇ HACS

という関係が成り立つ（「⊇」は集合論の包含関係をあらわす）。

3・4 情報／コミュニケーション／メディア

情報社会では、情報、コミュニケーション、メディアなどのキーコンセプトが日常的に用いられている。基礎情報学におけるそれらの諸概念は、従来のものといかに異なるのであろうか。それを明らかにすることで、情報社会における基礎情報学の意義が浮かび上がってくるはずだ。まず、そ

［★07］『基礎情報学』、前掲、107～111頁

［★08］『基礎情報学』、前掲、78頁。自律性概念の詳細については、次の文献を参照。Varela, F. *Principles of Biological Autonomy*, opt. cit, ならびに、*Autonomie et Connaissance*, opt. cit.

れらの諸概念を、ＨＡＣＳとの関連のもとに簡潔にまとめておこう。

厳密に言うと、基礎情報学では、マトゥラーナの提示したＡＰＳよりはむしろ、ヴァレラの提示した「自律システム」にもとづいてHACSを定義する。ここで自律システム（Autonomous System）」は、観察者から見て継続的に単位体として存続し、かつ「構成的閉鎖系（organizationally closed system）」であるときに成立する。構成的閉鎖系とは、ネットワークをなすプロセス（過程）によって関連づけられる有機構成（organization）が、再帰的に相互依存するようなシステム、つまり端的には自己準拠的なシステムに他ならない。構成的閉鎖系における要素的プロセスが、とくに「構成素の産出プロセス」であるとき、それはＡＰＳとなる。したがって、ＡＰＳは構成的閉鎖系の下位概念である。ＨＡＣＳは右に述べたようにＡＰＳの下位概念だが、そのなかで、とくに物理的な具体的単位体を構成するシステムが生命単位体である（生命単位体のなかには、細胞や脳神経系などもふくまれる）。ゆえに、次の関係が成り立つ［★09］。

構成的閉鎖系（自律システム）⊇ ＡＰＳ ⊇ ＨＡＣＳ ⊇ 生命単位体

ＨＡＣＳのもつ理論的属性として、観察記述と階層性に加え、構成素が「コミュニケーション」だという点があげられる。通常、オートポイエーシス理論において心的システムの構成素は「思考（thought）」とされるが、心のなかは整然たる論理的統一体ではなく、むしろ矛盾をはらむ相異なる複数の論理モジュールが並存していると考えられる。ゆえに、それらの相互作用から生まれる思考を「コミュニケーション」と位置づけることは決して不自然ではない。

心的システムや社会システムは、物理的な単位体を産出するわけではないので、生命単位体ではない。だが、基礎情報学では心的システムや社会システムに加え、生命単位体もふくめてＨＡＣＳとしてモデル化することができる（物理的な存在を形成する生命単位体においてもコミュニケーションが生起している）。

以上より、基礎情報学では、ＨＡＣＳという統合的な概念にもとづいて情報、コミュニケーション、メディアなどのキーコンセプトがまとめあげられることになる。具体的には、「生命情報」の観察記述がうむ「社会情報」をもとに、「コミュニケーション」という出来事がＨＡＣＳの構成素として位置づけられる。そして、自己準拠的なコミュニケーションを秩序づけ、論理的に接続するのが「メディア」に他ならない。メディアの中には「機械情報」の時空にまたがる伝播のひろがりを可能にする、電話やテレビ、インターネットなどの伝播メディアもふくまれるが、意味内容に着目する基礎情報学においていっそう重要なのは、「メディアによるコミュニケーションの論理的秩序づけ」という機能なのだ。これを実現するのは、ルーマンの成果メディアを拡張した「連辞的メディア」と「範列的メディア」である。前者は論理的な二値コードにより、コミュニケーションの意味内容についての直列的な継起を可能にし、後者は概念の分類関係を用いてコミュニケーションの並列的選択肢を準備する（詳しくは『基礎情報学』１３７～１４２頁を参照していただきたい）。

これらは、従来から常識的に使用されてきた、情報／コミュニケーション／メディアという概念とはまったく異なることに注意しなくてはならない。常識的には、「情報」とは、データのような

［★09］『続　基礎情報学』、前掲、41～42頁

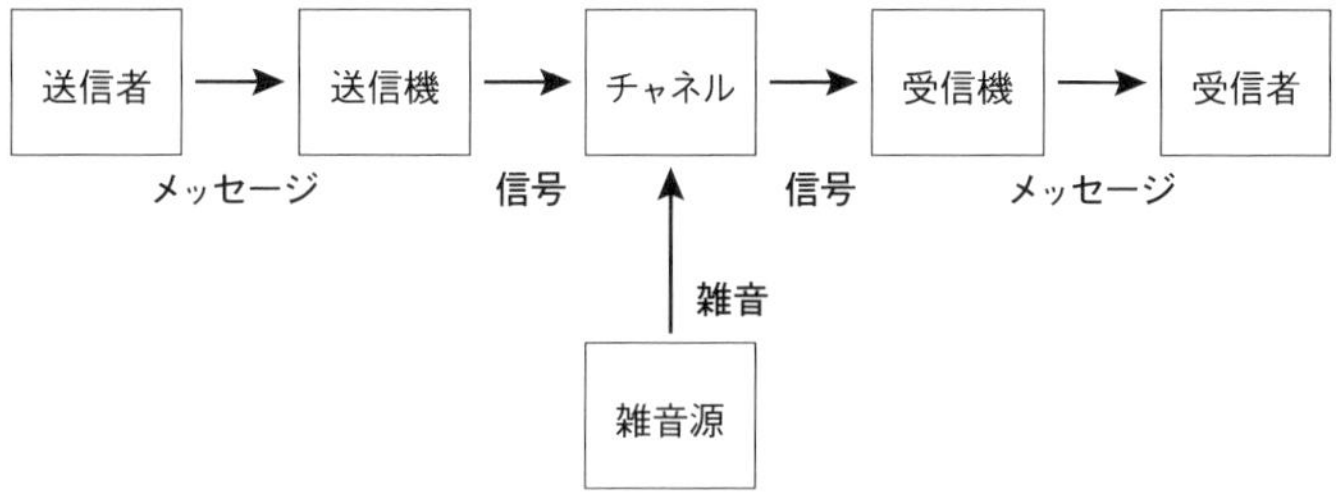

図4　従来のシャノン&ウィーバーの情報モデル（『基礎情報学』p.42より）

断片的存在であり、大量のデータを送受信し、蓄積し、機械的に処理する機能を果たすのが「メディア」だとされている。言うまでもなくこれは、シャノンの情報理論をベースにしているためだ。

とはいえ、従来の議論において意味内容がまったく無視されているわけではない。人間や社会にとって肝心なのは、当然ながら意味内容をもつ情報に他ならないからである。シャノン情報理論では意味内容が表向き捨象されているので、シャノンのモデルを形式的に拡大した「社会的コミュニケーション・モデル」が想定されることが多い。

図4のようにシャノンのモデルでは、送信者の発する情報が「送信機→チャネル→受信機」と送られ、最終的に受信者に届くという単純な図式が用いられている。チャネルにおいては、雑音を排除するなど、何らかの機械的処理が実行されることもある。なお、送信者と受信者は一対一に限らず、マスメディアのように一対多数の場合もあるが、いずれにせよ、シャノンのモデルを拡大した社会的コミュニケーション・モデルにおいては、社会情報と機械情報の厳密な区別はなされない（第2章の図2を参照）。

つまり、従来の情報／コミュニケーション／メディアのフレームワークのもとでは、たとえ誤解の可能性はゼロでないにせよ、機械情報の厳密な扱いによって送受信者のあいだで意味内容が精確に伝達され、コミュニケーションが成立するという暗黙の前提がおかれてしまいがちなのだ。だが、このことは、情報社会の議論を致命的に混乱させる。それだけではない。社会をいわばメガマシン化し、個々の人間を機械部品化して自由を奪うことにつながるのである。社会全体を崩壊させないためには、情報伝達における意味解釈の自由度を減らし、原則として機械情報のやりとりだけで社会を運行させなくてはならないからだ。こうして、第5章で述べるが、歴史家ハラリが予告するような恐ろしい未来社会が現実の問題として迫ってくることになる。

基礎情報学では、ハラリの予告を回避した未来社会を実現するための方途をさぐろうとする。このために、シャノン情報理論を正面から克服するモデルを提示し、情報／コミュニケーション／メディアというキーコンセプトを右に述べたように新しく定義し直した上で、情報社会についての議論を展開しようとするのである。

ただしメディアのなかでもとくにマスメディアについては、基礎情報学において特殊な意義をもつ。マスメディア・システムはHACSを形成し、それは、社会システムの上位に位置づけられるのだ。これについて簡潔に付言しておこう。すでに示唆したように、人間は社会を構成するから、人間の心的システムというHACSの上位には、社会組織のHACSが位置づけられる。周知のように、ルーマンは近代社会を、法律、政治、経済、学問、文学芸術など、複数の独立した機能的分化社会システムの並存としてとらえた。近代社会の複雑性は大きすぎるが、それぞれの機能的分化社会システムの内部では、複雑性が縮減されて論理的なコミュニケーションが成立しやすくなるのである。この分化は望ましいことではあるが、近代社会に生きる人々にとっては、社会の全体像がとらえがたくなってしまう。

このような問題点を解決するのがマスメディアである。マスメディア・システムは、法律、政治、経済など、それぞれの機能的分化社会システムで生起するコミュニケーションを取材し、「コミュニケーションについてのコミュニケーション」を発生させる。たとえ真の論理的統一性を持たないにせよ、マスメディアは各分化社会の様相を観察記述することによって、ある種の疑似的な全体社会のイメージを生みだすことができる。テレビや新聞を考えれば、それらが生みだす「マス・コミュニケーション」が、多様な分野で生起している「コミュニケーションについてのコミュニケーション」、つまりメタ・コミュニケーションであることは明らかであろう。したがってマスメディア・システムは、分化した社会システムの上位の「超−社会システム」として位置づけられるのだ[★10]。マスメディアを通じて、人々は、自分の生きる社会の概観的イメージである「現実−像」を得ることができる[★11]。人々の心的システムは現実−像に影響され、徐々に変容するので、長期的には社会のあり方も変わっていく。この点について次に述べていこう。

3・5　プロパゲーション

人間の心的システムの上位に社会組織のシステム、そしてその上にマスメディア・システムというＨＡＣＳの階層モデルは、共時的なものである。つまり、コミュニケーションの短期的（瞬間的）な生起にかかわる制約／拘束関係をいわば空間的に表現したモデルに他ならない。つづいて、コミュニケーションの継続がもたらす通時的な側面に注目し、ＨＡＣＳにかかわる時間的なモデルについて述べていくことにする。

くりかえしになるが、基礎情報学において情報とは、生物にとっての「意味作用を起こすもの」であり、また「意味構造（記憶）を形成するもの」である。意味構造とは「記憶」であり、それは再帰的なパターンによって自己準拠的に、時間をかけて形づくられていくのだ。コミュニケーションの短期的（瞬間的）な生起にともなう情報の意味解釈は、この長期的な意味構造を参照しながら自己準拠的に実行され、そして意味構造自体も更新され追加されていくことになる。

意味構造は、生物の脳神経の記憶として具体化されるが、とくに人間の場合には、より抽象的に、一種の「概念フレームワーク」としてとらえられることになる。つまり、ある社会情報（記号）を受けとった人間の心的システムは、みずからの概念フレームワークに照らして、その意味を解釈するのである。このことは、自然言語によるコミュニケーションを考えれば明らかであろう。われわれは通常、長期的に身につけた母語の知識をもとに、メールだの書物だのを解読する。そしてその行為が、みずからの知識つまり概念フレームワークを改変していくことになる。

さらに、この概念フレームワークは、個人的な心的システムのＨＡＣＳだけでなく、その上位の社会組織システムのＨＡＣＳにおいても、基本的に大半部分が共有されていることに注目しなくてはならない。言語記号のあらわす意味内容を記した「辞書」はその好例であるし、いわゆる社会的

［★10］『基礎情報学』、前掲、１５７〜１６３頁を参照。なお、インターネット・システムも同じく超−社会システムである。
［★11］『基礎情報学』、前掲、１６８〜１７２頁

常識はこの概念フレームワークの大部分をしめる。

情報の伝達という側面から眺めると、このような概念フレームワークの形成は、マクロで長期的な意味伝播作用と見なすことができる。これを「プロパゲーション（propagation）」と呼ぶことにしたい。プロパゲーションは、ミクロで短期的（瞬間的）な意味生起作用である「コミュニケーション」に対立する概念である。コミュニケーションだけでなくプロパゲーションに着目し、さらに両者の関係から情報の意味作用を検討することが、基礎情報学の第三の特長と言ってよい。すなわち、①生命情報への着目、②階層性の導入、③長短にわたる時間的考察の三点が、ネオ・サイバネティクスにおける基礎情報学の理論的特徴の基礎をなすのである（プロパゲーションについて詳しくは、拙著『生命と機械をつなぐ知』［★12］第四章を参照していただきたい）。

ネオ・サイバネティクスでは従来、ルーマンの社会理論に代表されるように、コミュニケーションの分析に重点がおかれ、プロパゲーションについては考慮されることが比較的少なかった。しかし、両者とも、意味作用の分析に不可欠なことは明らかである。とりわけ人間の情報社会においては、人々の心的システムのあいだで長期的な社会的価値観がプロパゲーションにより共有されていることが、刻々と瞬間的に生起するコミュニケーションを支えている。たとえばテレビや新聞などのマスメディアが供給する現実‐像をみんなが知っているからこそ、人々の雑談は成功するのだ。

ここでＨＡＣＳの階層性とプロパゲーションの関係について注目しなくてはならない。上位の社会システムがあたえる制約／拘束のもとで下位の心的システムは作動するのであり、これは社会システムにおける長期的な意味構造つまりプロパゲーションの結果が、心的システムのコミュニケーションに影響していることである。だがそれだけではない。また一方、社会システムのコミュニケーションに素材を提供する多くの人々の心的システムにおいて、その作動は各自の概念フレームワークつまりプロパゲーションの結果にもとづいているから、それらはしばしば、社会的なコミュニケーションに集合的な影響をあたえる。要するに、上位ＨＡＣＳと下位ＨＡＣＳにおけるプロパゲーションは、それぞれ、コミュニケーションを介して相互に影響し合うのである。

たとえば、「人種差別や男女差別をしてはならない」という理念／価値観は、今やプロパゲーションにより広く伝播され、社会的な概念フレームワークとして定着しつつある。大半の現代人は、この理念を尊重して各自の価値観を醸成している。だが、20世紀前半にはそんな価値観は社会的に希薄だった。平等主義の信念をもつ人々の熱心な努力と活動が、長時間をかけて集積し、この社会的価値観を形成したのである。この種の意味形成を分析するには、コミュニケーションに注目するだけでは不十分であり、プロパゲーションとＨＡＣＳの階層性を考慮した情報モデルが有効となるのだ。ＡＰＳの独立性を重視するあまり、ＡＰＳ同士については相互浸透という対等の関係に注目するだけでは、こういう分析は不可能なのである。

なお、従来の情報／コミュニケーション／メディアの分析において、一体なぜ共時的（短期的）なメカニズムに焦点があてられ、歴史的／通時的（長期的）なメカニズムは等閑視されがちだったのであろうか。きわめて大雑把な見取り図を描くなら、その一因は、20世紀末の東側陣営の崩壊にともなうマルクス主義の退潮と関係していると言えるであろう。言うまでもなく、マルクス主義は歴史的な価値観の形成に着目し、労働者を解放するという社会的価値観の進歩を主張した。だがこ

［★12］西垣通『生命と機械をつなぐ知――基礎情報学入門』高陵社書店、２０１２年

れに対して、単線的／通時的な進歩という概念に異議を唱えたのが構造主義であり、それは共時的な社会的価値観の多様性を主張して、20世紀後半以降、多元的で相対主義的な価値観をもたらした。こうして、時間軸にそった価値観の醸成よりもむしろ、空間軸における対話的コミュニケーションが重視されるに至ったのである。このことは、後述する「言語学的転回」ともかかわっている。

とはいえ、そういう中でも社会において意味は伝播され、価値観は醸成されていく。たとえ多元性を認めるにせよ、社会的な理念や価値観にたいする長期的な分析を度外視することは学問的にみて適切ではない。この点を強調したのが、メディアに着目して「メディオロジー」という学問を創設したマルクス主義者レジス・ドブレだった[★13]。その理論においては、時間をかけておこなわれる理念の伝播が「トランスミッション（transmission）」という用語でとらえられ、構造主義における瞬間的コミュニケーションと対比させられるのである[★14]。トランスミッションという概念は本書におけるプロパゲーションと一致するわけではないが、ともにそこで通時的／長期的な意味伝播がとらえられていることは特筆に値する。

3・6　個人と社会の知識形成

個人と社会のもつ意味構造はいかにして、また、どこに宿るのだろうか。基礎情報学的には、意味構造は生命情報として、さまざまな生物の記憶に宿っている。とくに人間においては、それらの一部が社会情報となり、長期的な「知識」と呼ばれることが多い。個人的な知識は学習されるものであり、心的システムのＨＡＣＳにおける概念フレームワークを形成して、受けとった情報（刺激）

の意味解釈において参照される。

個人的知識の獲得過程はネオ・サイバネティカルな発達心理学によって研究されてきた。前章で述べたグレーザーズフェルドのラディカル構成主義心理学がそれに他ならない。すでに強調したように、グレーザーズフェルドはピアジェの発達心理学を正しく受け継いだ。そのラディカル構成主義心理学は、ピアジェの理論をあらためてオートポイエーシス理論などの閉鎖系の議論と関連づけて、とらえ直したのである。すなわち、人間の幼児の認知発達の過程とは、しばしば教育工学者が誤解するような、「客観世界の事物や状況を発見しつつ知識を獲得していく過程」ではない。幼児はみずからの経験に準拠して、主観的に個人的な世界を構成していくのだ。

幼児にとって大切なことは、客観世界との「一致(match)」ではない。経験世界への多様なやり方による「適合(fit)」なのである。鍵をあけるには、鍵穴とぴったり一致する鍵でなくても、針金を巧みに操作したり、ドリルで壊したりする方法もあるのだ。前述のように、生物進化の観点から言うならこれは、草食動物は肉食動物から逃れるために、脚が速くなってもいいし、巧みな擬態を身につけてもいい、という生存戦略に対応している。くり返しておこう。大切なのは、生存するための概念フレームワークを自分の内部でつくりあげることであり、認知とは「適応の道具」なのだ。外部から刺激をうけて概念フレームワークが攪乱されると、それを再調整して均衡化をはか

[★13] Debray, R. *Cours de Médiologie Générale*, Gallimard, Paris, 1991.［西垣通(監修)、嶋崎正樹(訳)『一般メディオロジー講義』NTT出版、2001年］

[★14] Debray, R. *Transmettre*, Odile Jakob, Paris,1997.［西垣通(監修)、嶋崎正樹(訳)『メディオロジー入門』NTT出版、2000年］、ならびに『一般メディオロジー講義』、同右書、などを参照。

る。こうして幼児の心のなかでは、次第に精緻な概念フレームワークをもつ主観世界が構成されていく。

つまり、ラディカル構成主義心理学によれば、現実に存在するのは所与の「客観世界」ではなく、経験を基礎としてみずから構成する「主観世界」以外ではないのである。こういう構成主義的な思考は、普遍的な理性をもつ人間が神によってつくられた客観的実在世界を認知する、という西洋の伝統的な古典思想とは相いれない。この古典的な思想こそがコンピューティング・パラダイムやシャノン情報理論の土台になっているのだが、サイバネティック・パラダイムはそういう伝統的アプローチを根本から問い直し、情報をめぐる新たな思想へと導くのである。

では、ピアジェとグレーザーズフェルドの議論のもとで言語的な概念はいかに形成されるのであろうか。詳細は『ラディカル構成主義』、および『続 基礎情報学』2.2節を参照していただきたいが、そこではまず、二種類の抽象化作用が認められる。第一は経験的抽象（empirical abstraction）であり、第二は反省的抽象（reflective abstraction）である[★15]。経験的抽象とは、多少異なる対象を一括して同じ言語記号で表象することだ。たとえば、幼児が、公園で遊んでいるいろいろなイヌをまとめて「わんわん」と呼ぶような言語的抽象化作用である。こういった形象的な抽象化は、基本的/空間的なパターン分類に対応している。これにたいして、反省的抽象化は、時間にまたがる論理操作が加わっており、過去の感覚的印象の流れを区分して、眼前にない対象を、ある言語記号で想起したり指示したりすることである。幼児と散歩中の母親がイヌを見て「あのわんわんと、絵本のわんわんとどっちが好き?」と尋ね、幼児が「絵本のほう」と答えるとき、幼児は反省的抽象をおこなっている。幼児の経験する世界の様子は刻々と移り変わっていくが、その中のある部分を独立して取り出し、「概念」として言及しているからだ。反省的抽象化は経験的抽象化にもとづいており、それぞれ一次的、二次的な抽象化と位置づけられる。

このようにして幼児は、経験的抽象化と反省的抽象化によって、概念フレームワークをもつ世界を構成していく。それは幼児という観察者による、一人称的で主観的な世界であり、母親など他者の世界とは異なるものである。幼児の概念フレームワークと、母親の概念フレームワークとはしばしば食い違う。たとえば幼児は「わんわん」と言いながら、絵本の可愛いパンダを想起しているかもしれない。とはいえ、母親はじめ周囲の人々との二人称的な会話を通じて、やがて幼児は、共同(間)主観的に共有される三人称的な概念フレームワークを形成していく。

ラディカル構成主義心理学の主張はまったく正当なものだ。個人の学習とは本来、通常信じられているような「客観世界についての既成知識の受け入れ」ではない。生きるために、攪乱による再調整と均衡化によって生命情報から織り上げられるのが概念フレームワークなのである。とはいえここで、一体なぜそういう誤解が生じたのかを考察する必要がある。

幼児は成長して学校に行き、さらに高等教育機関で多くの概念を教わるが、それらの大半は当人の具体的な生活経験とはあまり関係がない。このことは外国語学習と母語学習をくらべれば明らかであろう。幼児の母語学習では言語概念が生活経験を通じて構築されるが、初等レベルの外国語学習では、外国語概念が母語概念とただ機械的に関係づけられるにすぎない。ゆえに学習者にとって、

［★15］ここでいう「反省」は過去を悔い改めることではなく、過去の経験を回想して再帰的に抽象することである。

その知識はせいぜい「テストでよい点をとる」くらいの価値しかないのである。外国語が真に価値をもつのは、その使用が学習者にとって、外国人との交流や海外生活など、みずからの生活経験と直結する場合なのだ[★16]。

学校などの教育機関におけるいわゆる「勉強」は、反省的抽象化の延長上にある。勉強を通じて学習者は、教育された大量の概念をひたすら受け入れ、それらの間の論理的関係性にもとづいて概念フレームワークを更新拡大していく。肝心なのは、学習者は与えられた概念を、丸ごと暗記し受け入れる他はない、という点だ。年少の学習者が教科書の内容に疑問を感じ、その指摘に応じて教科書が修正されるといった事態はまず起きない。生活経験とほぼ無関係な大量の概念を、所与のものとして一方的に受け入れるべきだという発想が、「客観世界についての既成知識の受け入れ」が学習だという誤った信念をもたらすのである。三人称で記述される客観世界は、観察者から独立自足し、固定した存在として立ち現れるからだ。

このことは、社会の「専門化」とも深くかかわっている。ここで、成人前の若者だけでなく、中高年をふくめた一般の人々も同様な状況におかれていることを忘れてはならない。現代は専門知識社会であり、分野外の素人は専門家が形成した知識の内容に口を出すことは原則としてできない。さらに専門分野は針先のように分化し、社会情報として記述される専門知識は日ごとに拡大増強されていく。一方で専門家は視野狭窄となり、もはや誰にも、その膨大な全容を把握することは不可能なのだ。このことが、「客観世界」という幻想を強固なものにする。専門知識は「知識ベース」という意味ベースを形づくり、具体的にはデータベースとしてコンピュータ・メモリに蓄積されることが多い。個々の知識命題は相互に論理的な関係をもっているので、ＡＩによってデータベースを検索して推論し、機械情報の処理によって社会的判断をくだす可能性がひらかれる。ところで後述するように、はたしてＡＩに社会的判断を任せるのは適切か否か、それが本書の主題の一つなのである。第Ⅲ部でこれについて論じるが、その前に、こういう「知識ベース」がいかに形成されるかを考えなくてはならない。

基礎情報学では、経験的抽象化（一次）と反省的抽象化（二次）に続く第三次の抽象化作用として「社会的抽象化（social abstraction）」を新たに提示する。ラディカル構成主義心理学はあくまで発達心理学であり、個人の概念フレームワーク形成を論じるだけだ。だが、基礎情報学においては、プロパゲーションによるＨＡＣＳの意味構造の長期的形成が問われるのであり、ＨＡＣＳには、個人の心的システムだけでなく上位の社会組織システムもふくまれる。だから要するに、社会も学習するのだ。この点は、ラディカル構成主義心理学と基礎情報学との顕著な相違と言える。

ラディカル構成主義心理学のように、個人の視点からのみ学習をとらえ、周囲状況である社会的な組織の学習を考察しないとき、専門家の権威が尊重され知識とビッグデータがあふれ返る現代に、「客観世界からの知識獲得」という通俗的誤解を払拭することは難しい。だが、基礎情報学的には、個人が参加する社会組織システムの意味構造はプロパゲーションによって改変されていくので、決して固定化され不変なものではないことになる。個人の意味構造と、その上位の社会組織の意味構造とが、相互に関連しつつ変容していくという立場にたてば、この通俗的誤解をとく方途がひらかれるのだ（社会的組織の学習について、詳しくは『続　基礎情報学』２・３節を参照していただきたい）。

［★16］『生命と機械をつなぐ知』、前掲、第４章を参照。

社会的抽象化とは、端的には、社会システムのＨＡＣＳにおいて、参加メンバーの三人称的な記述を素材にしてコミュニケーションが実行され、その意味構造である知識ベースが改変されていくことに他ならない。たとえば、専門家の学会組織における議論を想像すればよいであろう。既存の学説は専門家の心的システムに制約をもたらすが、学会での討論によって学説が改変されることは少なくない。また「集合知」[★17]や「オープンサイエンス」[★18]という言葉に象徴されるように、インターネット時代には一般の人々が、専門家の意見を尊重しつつも学問的な議論に参加することもできる。実際、この方向は、今後の社会を建設するための一つの有効な鍵に他ならない（拙著『ネット社会の「正義」とは何か』[★19]参照）。このように、基礎情報学によれば、構成主義的な考え方にもとづいて人間の学習や教育をとらえることが可能になるのである。

3・7　新たな発展へ

本章で述べてきたことは、ネオ・サイバネティクスの一環である基礎情報学の、理論的特徴の概略である。ここで『続 基礎情報学』に即して、改めてポイントをまとめておこう[★20]。オートポイエーシス理論で困難だった「情報伝達」のモデルは、基礎情報学では、人々が属する社会的組織におけるコミュニケーションの継続発生としてとらえられる。これは精確には、人々の心というＨＡＣＳの作動による発言、すなわち身体の中の生命情報が転化した社会情報の記述を素材とした、社会組織システムＨＡＣＳ内部での「情報創出」に他ならない。一般にある階層のＨＡＣＳにおける情報創出とは、①下位階層のＨＡＣＳからの複数の出力の相互交換、②当該階層のＨＡＣＳの意味構造の更新、③両者の組み合わせによる再帰的処理、という三部分から成り立つ。こういった情報創出と、これにともなう長期的な意味構造（意味ベース）の再帰的更新こそが、いわゆる情報社会を刻々とつくりあげるのである。

すなわち、①機械情報の根源にある生命情報への着目、②オートポイエーシスへの階層性の導入、さらに③共時的コミュニケーションと通時的プロパゲーションの組み合わせ、という三つの特徴をもつ基礎情報学によってはじめて、情報社会のネオ・サイバネティカルな分析や制度設計が可能となる。従来のシャノン情報理論の対象は機械情報だけであり、これを安易に拡張した社会コミュニケーション図式を仮定するかぎり、情報社会に生きるわれわれはますます根源的な自由を奪われていくであろう。

近々われわれは、第Ⅲ部で述べるＡＩ（人工知能）や、ＡＩを具備したロボットが多用される〝人間＝機械〟複合系をベースとした情報社会に住むことになる。このとき、基礎情報学によって、多様な問題を分析し解決への道がひらかれることを期待したい。焦点となるキーワードは三つある。第一は社会的な「倫理」である。正義や道徳とは何か、それを実現するにはどうしたらよいかという古来の難問は、新たな局面をむかえることになる。第二は哲学的に探究される「情動」である。

［★17］西垣通『集合知とは何か』中公新書、２０１３年
［★18］Nielsen, M. *Reinventing Discovery*, Princeton Univ. Press, 2011.［高橋洋訳『オープンサイエンス革命』紀伊國屋書店、２０１３年］
［★19］西垣通『ネット社会の「正義」とは何か』、角川選書、２０１４年
［★20］『続 基礎情報学』、前掲、１１３〜１１４頁

従来の情報科学／情報通信工学では理性的な論理に重点がおかれてきた。だが生命的な意味や価値は身体に根差しており、とくに感性的な「情動」という面を検討していかなくてはならない（情動というテーマは近年、社会学者の伊藤守や分析哲学者の信原幸弘によっても扱われている［★21］）。さらにこれら二つを引き受けるのが、表現としての「芸術（美）」であり、これが第三のキーワードとなる。そこではデジタルな周囲環境における美的体験が、21世紀の新たなテーマとして浮上してくるのだ。三つのキーワード「倫理」「情動」「芸術」は相互にむすびつき、基礎情報学／ネオ・サイバネティクスにおける新分野をひらくであろう。

以下、若手研究者による最近の研究成果を例示しておきたい。これらは今後の基礎情報学の発展方向を示唆するものだ。

(1) ビッグデータ社会の倫理

大量のデータがインターネットを通じて時々刻々発生し、流通し、蓄積される現代社会は、しばしばビッグデータ社会と呼ばれる。その最大の懸念の一つは、倫理問題である。匿名の投稿による誹謗中傷だけでなく、企業や公的機関による個人データ収集とプロファイリングは、プライバシー侵害や、人間のスコアリング（得点づけ）による新たな階級差別をもたらす恐れもある。さらにビッグデータ処理が人間ではなくＡＩ（人工知能）エージェントによって機械的に実行されるときは、効率向上の反面、情報の意味内容が不適切に扱われるという副作用も心配される。

河島茂生は「ビッグデータ型人工知能時代における情報倫理」という論文において、この問題を論じた［★22］。そこで強調されるのは、基礎情報学のＨＡＣＳモデルにおいて、観察者である心的システムの役割である。前述のように、ＨＡＣＳはＡＰＳと異なり、観察者との複合システムとして成立している。重要なのはとくに、心的システムが個人の内面を自己観察するだけでなく、他者の内面に近づき相手の身になって思考するという「視点移動」の機能に他ならない。他者の内面で刻々と主観的に構成されている世界の詳細なありさまは、単なる外面からの客観的データ処理では見逃されがちなことだ。むろん、主観にはクオリアのように私秘的な面もあるが、こういう共感的なアプローチが個人の道徳的配慮の起点であるのは間違いないであろう。河島はこれを「ケアの倫理」と呼ぶ。

倫理というと、とかく社会的次元での倫理規範が強調され、ＡＩ社会ではＡＩエージェントに倫理規範を実装すればよいという安直な意見も現れるが、これはコンピューティング・パラダイムにもとづく発想である。サイバネティック・パラダイムのもとでは、社会的共生の根底に個人的次元でのケアの倫理があることを忘れてはならない。河島は、社会的次元ばかりに注目が集まり個人的次元は顧みられなくなってしまうことを危惧し、そうなると「人間は単なるアロポイエティック・システムにすぎなくなり、機械と同一視されてしまう」と警告する[★23]。むしろ、社会的次元の倫理規範は、個々の人々の共感にもとづいてボトムアップで形成されるのであり、そのメカニズム

[★21] 伊藤守『情動の社会学——ポストメディア時代における〝ミクロ知覚〟の探求』青土社、２０１７年、および、信原幸弘『情動の哲学入門——価値・道徳・生きる意味』勁草書房、２０１７年、を参照。
[★22] 河島茂生「ビッグデータ型人工知能時代における情報倫理」、西垣通（編著）『基礎情報学のフロンティア』、前掲、第4章
[★23] 同右論文、70頁

は、個人の心的システムと上位の社会システムのＨＡＣＳ階層関係によって分析されるのである。なお、この問題はＡＩが活用される「〝人間＝機械〟複合系」における集合的責任というテーマにつながるが、この点については第Ⅲ部で後述することにしたい。

(2) 生命的情動／機械的情動／社会的情動

コンピューティング・パラダイムは論理主義だが、サイバネティック・パラダイムのもとでは、合理性に加えて「情動（affect/emotion）」の作用も重視されることになる。道徳的感情や共感の根本に情動があることは言うまでもないであろう。人間が、単なる規範主義的な道徳的判断を超えて真の倫理的責任を負うのは、そこに一種の情動の働きがあるためではないであろうか。この点に着目し、さらに基礎情報学の大前提である「生命にとっての意味や価値」という生命情報の原基にまで踏み込んで、システムの階層的自律性を論じたのが、原島大輔による論文「社会的自律性の活性度と情動」［★24］である。

神経生物学者アントニオ・ダマシオのソマティック・マーカー説によれば、情動こそ無数の可能性の中から意味と価値のあるものを限定するという。人間は時々刻々、身体活動とかかわる情動の作用により自分の生活にとって「意味のある行動」をおこなっているが、情動をつかさどる脳の部位を損傷した患者は、あたかもフレーム問題をかかえたＡＩのように立ちすくんでしまうのだ。

原島はダマシオの議論をふまえながらも、そこに、あらかじめ準備され限定的選択肢のなかから何かを選ぶという機械的な作用ではなく、よりダイナミックな生命状態の変化を認めようとする。つまり、「機械的情動（mechanical-affect）」ではなく、その古層にある「生命的情動（lived-affect）」

に着目しなくてはならないというわけだ。倫理規範にせよ翻訳語にせよ、限定的選択肢からの既存ルールにもとづく選択なら、コンピュータで実行可能である。だが、生命的情動とは、生きるためにリアルタイムで実行される「無限の偶然からの自己限定」であり、「生物の意味と価値の自己限定」なのだと強調する[★25]。

こういう自己形成の生命的情動の実感とともに実現されるものこそが、原島によれば「倫理的な責任の問われうる自己」に他ならない。ここに人間の自由意思の根拠がある。しかし一方、われわれの自由は無制限なものとは言いがたい。従来から指摘されてきたように、人々の行動を情動によって制御することは、社会的な次元における権力作用と関連している。さまざまな状況のもとで人々を「無意識の身体的な水準で自動選択」するように仕向けることで、大衆の行動を統計的にせよ制御することは可能なのである。とはいえ、「制御がおよぶのは情動の機械的な半面にすぎず、情動の生命的なもう半面には制御はおよばないのであり、そこに社会的制御の限界があるとともに社会的生物たる人間の責任もあるのだ」と原島は述べる[★26]。そもそも人間の脳神経系自体が、自律的な脳細胞の集まりなのだ。

では現実生活において、われわれ人間はいかにして行動しているであろうか。われわれは、生命的情動による固有の意味／価値（生命情報）を自己生成する自律性をもつとともに、社会的な制約

[★24] 原島大輔「社会的自律性の活性度と情動」、『社会情報学（特集　ネオ・サイバネティクス）』第8巻、1号、2019年（www.ssi.or.jp/journal/pdf/Vol8No1.pdf）
[★25] 同右論文、39頁
[★26] 同右論文、41頁

／拘束のもたらす機械的情動による行為の自動選択（機械情報的な処理）にしたがう他律性という両義性のもとで生きている。前述のように、基礎情報学のＨＡＣＳモデルにおいて、観察者の視点により、人間は自律的であると同時に他律的にも見える。すなわち、個人の心的システムは本来ＡＰＳであり自律的だが、上位の社会システムの視点から眺めると、その活動はコンピュータによる情報処理システムと同じく他律的にも見えるのだ。この両義性をもつ情動を「社会的情動」と呼ぶなら、社会的生物である人間は、生命的情動と機械的情動のみならず、社会的情動のもとで活動しているととらえることもできる。このように本論考は、情報社会における人間の責任や自由について、従来にない新たな分析の視座をもたらすのである。

（3）現代における共通美の創成

心的システムを語るには、倫理的側面と共にこれと不可分な美的側面の議論も欠くことはできない。人間の美意識が情動と深く結びついていることは、誰も否定できないであろう。美とは根源的に生命的なものであり、体験にもとづいて形成される意味や価値が基盤になって、芸術的な活動や受容がおこなわれる。とはいえ、現代の情報社会において、その様相は従来とはかなり異なってきたようだ。みずからも芸術的創作活動にかかわっている中村肇は、このテーマについて「テクノ画像により剝奪される身体性に関する基礎情報学的研究――階層的自律コミュニケーション・システムとしての心的システムが構成する『共通美』」［★27］という注目すべき論文を発表している。

焦点をあてられるのは、写真共有アプリケーション「インスタグラム」をはじめとする「テクノ画像」である。すでに以前フルッサーが指摘したように、撮影機械と撮影者とが融合したテクノ画像は、精緻に人工的加工をほどこされ、「本物らしくなればなるほどいかがわしくなる」という性質をもっている。にもかかわらず、われわれはその偽物を、まるで本物であるかのように認識してしまうのだ。画像の加工処理技術とインターネットを介した流通技術が圧倒的に進歩発展しつつある現在、テクノ画像と美意識の関係はいかにしてとらえられるであろうか。

まず中村が注目するのは、２０１０年代後半に『週刊ヤングジャンプ』の表紙を飾った人気画像「えなこ」と、リチャード・アヴェドンによる「フィリップ・ランドルフの肖像（１９６６）」との比較である。前者の被写体は若い女性で、その衣装と肌の露出度からいえば明らかに性的身体であるにもかかわらず、あまり身体性を感じさせない。一方逆に後者の被写体である初老の男性からは、身体的な生命力、生々しさが感得されるのだ。つまり前者の画像からは、性的欲望を喚起するものが脱落しているのである。テクノロジーによって剝奪された身体性というものが、今なぜ、またいかにして、人々に広く共有されているのであろうか。そのメカニズムを、中村は基礎情報学の概念装置を使って解き明かそうとする。

写真は、客観的な外部世界を映しだす鏡というよりむしろ、「自己の心的イメージを確認し、再構成するための外部装置」という面をもつ。とすれば問われるのは、テクノロジーによって剝奪された身体性が、心的システムにおける主観的な存在から、一人称と二人称の対話を通じたコミュニケーションによって、さらに三人称の社会システムにおける存在へと昇華していくありさまに他な

［★27］中村肇「テクノ画像により剝奪される身体性に関する基礎情報学的研究——階層的自律コミュニケーション・システムとしての心的システムが構成する『共通美』」、『社会情報学（特集　ネオ・サイバネティクス）』第8巻、1号、２０１９年（www.ssi.or.jp/journal/pdf/Vol8No1.pdf）

らない［★28］。ここで中村が参照するのは、ドミニク・チェンの論文「基礎情報学の情報システムデザインへの応用に向けた試論」［★29］における「二つのＨＡＣＳの構造的カップリング」である。そこでは対話という行為のプロセスが詳しく分析されている。

こうして、たとえば、個人同士がインスタグラムの画像を互いに提示しあうとき、当初は「生々しさを感じない」画像が、二人称的な他者とのコミュニケーションを通じて次第に肯定的に受容され、ついには上位の社会システムでの三人称的な存在に変わっていくプロセスが浮き彫りになる。「美に対する思考、或いは嗜好のズレは、互いに振幅しながら共鳴し合い、一種の『共通性』＝『共感』を産出する」と中村は述べ、これを社会美学的知見における「共通美」だと位置づけるのだ［★30］。とはいえ、安定した共通美は逆に、個人を拘束するものでもある。基礎情報学的にはそれは、客観性というよりむしろ「擬似的客観性」をもつ美にすぎない。こういった議論は、テクノロジーと芸術をめぐる現代の巨大な問題を照射しないであろうか。

［★28］同右論文、23頁
［★29］ドミニク・チェン「基礎情報学の情報システムデザインへの応用に向けた試論」、西垣通＋河島茂生＋西川アサキ＋大井奈美（編）『基礎情報学のヴァイアビリティ』、前掲、所収、第1章
［★30］「テクノ画像により剝奪される身体性に関する基礎情報学的研究」、前掲論文、25頁

第4章　新実在論と生命哲学

4・1　情報学的転回

ネオ・サイバネティクスは多分野にまたがる広汎な学知である。そのなかで基礎情報学がいかなる学問的特色をもつかについて、前章ではネオ・サイバネティクスの内部に踏み込んでまとめた。本章では逆に、ネオ・サイバネティクスから一歩離れ、基礎情報学が関連する諸学といかに関連し、いかに位置づけられるかについて述べることにしよう。こういう考察を通じて、基礎情報学が現代においてもつ意義がいっそうはっきり浮かび上がってくるはずである。

はじめに、基礎情報学が21世紀初めの「情報学的転回（informatic turn）」とどうかかわるかについて考えてみたい。情報学的転回は、20世紀の思想的事件である「言語学（言語論）的転回（linguistic turn）」［★01］ほど知られてはいないが、現在それが生じつつあることは確かである。情報社会とか知識社会とかいう言葉は、情報が現代の鍵概念であることの証しと言えるであろう。なおここで一言断っておくが、近年、〜的転回という言葉が乱用されている。だが、ここでの「転回」とは知の枠組み全体が「何か」をもとにガラガラと抜本的に変わっていくことであり、その意味では現在、「情報」以外にそう呼べる「何か」は存在しない。なにより、情報学的転回は、すでに起きた言語学的転回の後継事件と明確に見なすことができ、その点が重要なのである。

周知のように20世紀は「言語の世紀」とも呼ばれる。ここで起きた言語学的転回は、二つの哲学的な側面をもっていた。第一の側面は、第1章で述べた論理主義とかかわっており、言葉（言語記号）で明示的かつ精確に表現された対象以外はとりあえず考えなくてよい、ということである。従来の人文学では、たとえば霊魂とか無意識とかいった、神秘的アウラをまとった曖昧な対象がしばしば思惟や分析の対象とされていた。だが、そういうことは止め、明示的に表現された言語命題だけに着目すればよい、という近代的な学問的態度が支持を集めたのである。

ここでいう言語命題とは、理想的には、明確なルールにもとづく形式的推論の対象となり、その真偽が論理的（数学的）に決定されるようなもののことだ。すでに第1章でふれたように、論理哲学者のフレーゲやラッセル、そして数学基礎論の祖であるヒルベルトらの研究はこの側面をあらわしている[★02]。これらの研究をふまえて誕生した記号論理学的な思想潮流は、現在の英米で盛んな分析哲学（analytic philosophy）につながっていった。そして、20世紀半ばに生まれた論理演算機械であるコンピュータが、まさにこの思想潮流にそったものなのは言うまでもない。つまり、言語学的転回の第一の哲学的側面は、前述の「コンピューティング・パラダイム」に対応しているのである。端的にいえば、言語学的転回の第一の側面は、科学的／数学的な世界記述にたいする絶対的な信頼感を醸成したのだ。

一方、言語学的転回の第二の哲学的側面は、第一の側面よりは文化的・政治的な色彩をおびている。マルクス主義の退潮とともに、20世紀後半からフランスを中心に構造主義／ポスト構造主義が各国の知識人の注目をあつめたが、これこそが言語学的転回の第二の側面を形成している。源流はもともと言語学者フェルディナン・ド・ソシュールに始まる記号学（semiology）であり、そこでは、各言語共同体がそれぞれ恣意的に世界を分節化していること、つまり絶対的な世界記述などありえないというラディカルな主張が展開されていた。大航海時代から20世紀半ばまで、白人による西洋的理念にもとづく世界観や文化のみが「進歩的」であって、有色人によるアジア・アフリカの世界観や文化は「遅れて」おり、啓蒙すべき対象だという考え方が有力だった。

だがこの考え方は誤りで、いわゆる「後進国」をふくめ、いかなる言語共同体の世界観や文化も相対的に価値がある、という思想潮流をもたらした象徴的事件が、1960年代におこなわれたレヴィ＝ストロースとサルトルの論争である。実存主義者のサルトルは人間が自由に未来を選びとるという近代的な進歩理念を主張したが、文化人類学者のレヴィ＝ストロースはそういう理念こそが白人によるアジア・アフリカ諸国の侵略を正当化したと鋭く批判した。結論としてレヴィ＝ストロースが勝利をおさめたと言ってよい。つまり構造主義が人々に広く受容され、さらにフーコーやデリダなどポスト構造主義の哲学者が輩出して、西洋の伝統的な哲学理念は徹底的に脱構築されるこ

［★01］分析哲学者は linguistic turn を「言語論的転回」と訳すことが多いが、本書では文化的側面にも注目するので、あえて「言語学的転回」と訳すことにする。

［★02］ルートヴィヒ・ヴィトゲンシュタインの前期の著作『論理哲学論考』は、言語学的転回の第一の側面をあらわす代表作とされているが、後期の『哲学探究』に至って、第二の側面にも関わることになる。

とになった。端的に言えば、言語学的転回の第二の側面は、世界記述にたいする相対主義的な視点をもたらしたのである。

さて、いま21世紀初頭に起きている情報学的転回は、言語学的転回の二つの側面を引き受けて発生したのだが、ここで今、きわめて大きな誤解が生じつつあるのではないであろうか。表面的な誤解は明らかである。情報学的転回とは、言葉だけでなく画像や映像をふくむ多様な情報を０／１のデジタル情報として処理し、世界中の人々が共有することだという浅い解釈だ。確かにマルチメディア技術の発展によって文字やイメージを統一的に扱い、さらにインターネットを通じてグローバルに共有できるようになったことは事実である。だが、こういったコンピューティング・パラダイムにもとづくＩＣＴ（情報通信技術）中心の情報学的転回のとらえ方はあまりに狭すぎる。ドブレが指摘したように画像／映像の影響力は無視できないし、インターネットの普及にともなう文化や経済の変化は大きいが、少なくともそれだけでは、思想的な意味での「転回」とは言えない。

より根本的な誤解は、言語学的転回の二つの側面のはらむ絶対主義と相対主義という矛盾を、ＩＣＴとグローバル経済によって都合よく便宜的に解消しようとする点にある。平たく言えば、地球上には多様な尊重すべき文化があるという相対主義を一応認めた上で、それらのすべてをグローバル・ビジネスの地平で一律に商品化し、機械情報に転化し、ＩＣＴで統一的に高速処理すればよい、という考え方である。この思想潮流を支えるのは新古典派経済学や新自由主義の理論なのかもしれないが、ともかく、相対主義的な価値観よりメタな水準で一種の絶対主義を認定し、それを情報学的転回の内実としようとするわけだ。この考え方はいわば、言語学的転回の第一の側面によって第二の側面を巧妙に覆いつくす方向性だと見なすことができる。そしてこれが、右に述べた、マルチメディアやインターネットによるデジタル情報化を情報学的転回と見なす表面的解釈と平仄があっていることは言うまでもない。

はたしてこれは真の情報学的転回といえるであろうか。ネオ・サイバネティクスの観点からは断じてそうではない。だから以下、これを「偽‐情報学的転回」と呼ぼう。基礎情報学的に言えば、そこでの情報概念はコンピューティング・パラダイムにもとづくシャノン流の機械情報だけで、生命情報はまったく眼中にないのだ。分子生物学の遺伝情報もそこでは機械情報として扱われてしまう。偽‐情報学的転回をこのまま推し進めれば、人間は機械情報をあつかう部品のような存在と化していくのは間違いない。この議論は現在ブームとなっているＡＩともかかわってくるが、これについては第Ⅲ部で言及しよう。

真の情報学的転回とは、言語学的転回の第二の側面をふまえ、西洋の近代的価値観をより広い観点から見直していくものでなくてはならない。このためには、一足とびにＩＣＴ活用まで飛躍する前に、われわれ現代人がいったい何を希求しているのか、から始める必要がある。基礎情報学ではそれを生命的な価値だと考え、ゆえに人間にとって意味や価値である生命情報から出発するのだが、実はこれは文化的／歴史的には、人間の古来の「聖なるものへの憧憬」と関係が深い。この点については、拙著『情報学的転回』［★03］で詳しく述べたので本書では省くが、洋の東西を問わず、われわれ人間は未来の不安を拭い去ることは不可能なので、どうしても何か聖なるものにすがろうとしがちなのである。

［★03］西垣通『情報学的転回』春秋社、２００５年

きわめて大雑把にいえば、この宗教心を西洋近代主義は否定し、神の代わりに人間を知の中心にすえようとした。こうした西洋近代主義から科学技術が発展してきたのは間違いない。言語学的転回の第一側面も、むろんその動向に対応している。とはいえ、科学技術は公害や核兵器、環境汚染など、便益とともにさまざまな弊害をもたらし、ある意味ではいっそう深刻な不安が人々の間に生じているのもまた事実だ。不安の解消のため、ふたたび人々は昔の信仰心を想い出すのだが、このとき、過去の宗教的伝統が別のかたちをとって復活してくることも少なくない。具体的にはたとえば、一神教が教えるように宇宙／世界が論理的にできているなら高速論理演算機械であるコンピュータが「神」のように人間を救済してくれるはずだ、とか、神の長期的計画が消費者の短期的な欲望によって達成されるはずだ、とかいう怪しげな予言が現れてくるのである[★04]。第III部で述べるように、基礎情報学は、言語学的転回の歪曲解釈が生んだ偽‐情報学的転回を批判し、情報概念を生命から問い直すことで、本来の情報学的転回をうながす知として位置づけられるのである。

4・2　新実在論の台頭

20世紀の言語学的転回の洗礼をうけた哲学分野においては、２０１０年代から、構造主義／ポスト構造主義による相対的な世界観を見直し、絶対的な真理のありかをさぐろうという「新実在論（new realism）」が出現した。白人中心の進歩主義は反省すべきだとしても、ただ相対的な文化的価値観を掲げるだけでは、狂信的に人々を抑圧する思想さえ批判できなくなる、という危機感の現れが新実在論だとも言える。またこれは、西洋の人文科学的な進歩主義の影響力低下をおぎなうように地球規模で隆盛してきた自然科学的・技術的な進歩主義の理論的基盤をきちんと位置づけようとする哲学的試みとしてとらえられるかもしれない。新実在論のなかには英米系のものもあるが、本書では現在非常に注目されている大陸系（独仏系）の動向をとりあげ、二人の旗手、カンタン・メイヤスーとマルクス・ガブリエルの議論について述べていこう。

理系の科学技術研究開発は、いわゆる「素朴実在論」を当然の前提としている。素朴実在論というのは、人間とかかわりなく客観的に存在する宇宙／世界のありさまを数学的論理や実験によって認識し究明していける、という考え方である。そして自然科学的な理由律（因果律）にもとづく法則を発見し、それを応用してテクノロジーを発達させていけるというわけだ。

だが実は素朴実在論は、近代哲学ではとうの昔に否定された考え方に他ならない。カントは、理性の働きを徹底的に思索し、人間は物自体（Ding an sich／それ自体として客観的に存在する対象）に直接アクセスすることはできず、われわれが認識している宇宙／世界の姿はあくまで、人間というフィルターを通した「現象」にすぎないと喝破した。簡単にいえば、人間という生物には認識的限界があるということであり、この議論がフッサールの現象論をはじめ近代哲学の潮流をつくったのである。この議論を構造主義／ポスト構造主義のもとで推し進めれば、人間の認識は文化ごと、さらには個人の主観ごとに異なる、という極端な相対主義となってしまう。しかし一方、科学技術分野では世界共通の普遍的テクノロジーを扱うので、これは大きな矛盾をはらむ。とくに第Ⅲ部で述べるように、デジタル革命によるＡＩを活用する際には、この矛盾が先鋭な問題として表出してく

［★04］『情報学的転回』、前掲、第5〜6章

るのだ。はたして新実在論は、この矛盾を解決できるのであろうか。

フランスの現代哲学者カンタン・メイヤスーが主張する「思弁的実在論（speculative realism）」はきわめて興味深いが、内容的にはかなり意表をつくものである[★05]。その議論とデジタルＩＣＴ、とくにＡＩとの関連はきわめて刺激的であり、詳細は拙著『ＡＩ原論』[★06]を参照していただきたいが、以下、簡単にまとめておこう。

メイヤスーの思弁的実在論は、表面的には、科学技術が基盤とする実在論つまり人間の認識と関わりなく万物が客観的に存在するという前提を正当化する主張のように見える。まず、言及されるのは、「１３５億年前に宇宙が誕生した」とか「35億年前に地球上で生命が発生した」などという「祖先以前的言明」である。人間つまりホモ・サピエンスの誕生はせいぜい20万年くらい前だから、それらの出来事を人間が直接認識できるはずはない。祖先以前的言明は物理学の理論や測定結果にもとづくものだが、現代人はそれらを「客観的事実」としてとらえている。ではこれは間違いなのであろうか。近代哲学が教えるように、あくまで「現代物理学者の共同体において有力な仮説としては」という前提ないし留保条件をつけて記述するべきなのであろうか。

メイヤスーは、祖先以前的言明の諸命題を「客観的事実」として位置づける。さらに敷衍して、科学技術的な言明をはじめ、学問的な説得力をもつ言明を事実として認めようと考える。そう結論づける論理は、次のように少々トリッキーなものだ。伝統的に西洋には「形而上学」というものがあり、そこでは理由律（因果律）によって、つまり論理的推論によって、あらゆる対象（物自体）に直接アクセスし、記述説明できると考えられていた。これはいわば神のような、万事を眺める天上の視座からの絶対的な認識記述である。となると、ある対象／出来事には必ず原因となる対象／

出来事があるはずであり、さらにその対象／出来事の原因もまたあるはずだ。こうして、次々に必然的な因果の鎖をたどっていくと、ここで「究極の原因とは何か」という難題が現れる。神という絶対的存在を仮定しなければ究極の原因はありえないが、カント以降の近代哲学ではこれを認めることはできない。したがって理由律原理による形而上学は否定されてしまう。必然的な論理によって絶対的な物自体を語ることはもはやできないのだ。

では、すべては相対的なのであろうか？――ここでメイヤスーは、いかに万事が認識主体に依存し相対的だと言い張っても、認識主体である自分が死んで消滅することや、死後どうなるかといったことに対しては、どうしても何らかの絶対性を導入せざるをえなくなる、と主張するのである。いくら相対主義を徹底化しても、すべてが相対的だとは言えないのだ。

客観的な事実の絶対性（必然性）を認める代わりに、メイヤスーが導入するのは、「偶然性」である。つまり、個々の対象／出来事を客観的なものとして認める代わりに、それらの間の理由律（因果の鎖）を放棄しようとするのである。われわれ人間の主観とかかわりなく、宇宙／世界には絶対的な事実があり、しかもその事実は必然でなく「偶然に出現する」という驚くべき主張をするのだ。この「事実論性原理（principe de factualité）」こそが、思弁的実在論のエッセンスなのである。

一言補足すると、ここでいう偶然というのは、いわゆる統計確率的な偶然のことではない。つまり何らかの確率分布のもとで偶々ある事実が生じるということではない。まったく予想できないこ

［★05］Meillassoux, Q. *Après la finitude*, Seuil, Paris, 2006.［千葉雅也＋大橋完太郎＋星野太訳『有限性の後で』人文書院、２０１６年］
［★06］西垣通『ＡＩ原論』講談社選書メチエ、２０１８年

とが突如生起するという意味なのだ。メイヤスーは前者を「潜勢力（potentialité）」、後者を「潜在性（virtualité）」と呼んで明確に区別している。

宇宙／世界には自然科学的な法則があるように見えるが、それは次の瞬間に消滅するかもしれない。究極的な理由が不在なのだから、「いかなるものであれ、しかじかに存在し、しかじかに存在し続け、別様にならない理由はない。世界の事物についても、世界の諸法則についてもそうである。まったく実在的に、すべては崩壊しうる」とメイヤスーは述べる[★07]。むろん、自然科学法則はひとまず成り立っているように見えるし、人々はそれにもとづくテクノロジーを利用している。しかし、そんな法則群もあくまで暫定的なもの、非恒常的なものにすぎない、というわけだ。

こうして、思弁的実在論と現代科学技術との奇妙な関係が明らかとなる。現代の科学技術者にとって、自然科学法則が恒久的なものだというのは常識である。恒久的法則を求めるのが科学の使命であり、過去におこなわれた実証が法則を支えている。恒久的法則だからこそ、未来をひらくテクノロジーの基盤となりうるのだ。たとえばＡＩの学習機械は過去に収集したデータにもとづいてプログラムを実行し決定をくだすのだが、そこでは一瞬後にすべてが崩壊してデータはゴミになるなどとまったく想定されてはいない。

要するに、メイヤスーの思弁的実在論は、科学技術のもたらす「事実」を絶対的なものとして認める一方、法則の恒久性に疑問を突きつけ、科学技術的な予測や計画の根拠に致命的な打撃をあたえる。とすれば、言語学的転回をふまえたメイヤスーの議論は結局、素朴実在論にもとづく現代科学技術の進歩主義を、精妙でいりくんだ論理によって根底から否定していることになりはしないであろうか。その議論はいつしか、コンピューティング・パラダイムによる偽‐情報学的転回への批判につながっていくのである。

次にマルクス・ガブリエルの議論に移ろう。この人物は1980年生まれのドイツ哲学者で、1967年生まれのメイヤスーより若いが、スラヴォイ・ジジェクとの共著『神話・狂気・哄笑』[★08]においてメイヤスーの思弁的実在論をきびしく批判している。だが、両者の議論に共通点があることは確かだ。

ガブリエルの議論は、啓蒙書を多く書いているせいか、メイヤスーの思弁的実在論より単刀直入で分かりやすい。その実在論は「新実存主義」とも言われ、前述のサルトルとレヴィ＝ストロースの論争を半世紀後にいわば逆転させようとする[★09]。平たくいえば、人間は社会的構造のもとにあるだけでなく、未来をひらく自由をもつという、サルトルに近い主張を繰り広げるのだ。むろん、ガブリエルの新実在論はサルトルとは違ってドイツ観念論の系譜をまっすぐ引いているし、また、かつての白人中心的な進歩主義から遠いことは言うまでもない。そして、メイヤスーとは異なるアプローチで、科学技術万能の偽 - 情報学的転回を否定する議論を展開するのである。

新実在論は前述のように相対主義批判として位置づけられるが、ガブリエルはメイヤスーとは異なり、まず相対主義の定義内容そのものを再吟味する。現在学問的に広く認められている相対主義とは、「(この言明をふくめ)すべてが相対的だ」という論理命題とは異なるとガブリエルは見なす。

[★07]『有限性の後で』、前掲訳書、94頁
[★08]マルクス・ガブリエル＋スラヴォイ・ジジェク『神話・狂気・哄笑』大河内泰樹＋斎藤幸平監訳。堀之内出版、2015年
[★09]マルクス・ガブリエル『新実存主義』、廣瀬覚訳、岩波新書、2020年

それは、何らかの絶対価値をふりかざして他の社会や文化の価値を頭から否定し排除するような独善的主張（だけ）を否定する思想なのだ。とすれば、そういう限られた相対主義を認めても、自由や民主主義といった普遍的で絶対的な価値については語れるはず、ということになる。

ではガブリエルの主張はいかなるものであろうか？――その議論で批判されるのは主に「自然主義的な形而上学」である。つまり、自然科学的な論理（理由律）によって宇宙／世界のすべての対象（物自体）を説明し記述しつくすことなどできないというわけだ。だがガブリエルはメイヤスーと違い、理由律を完全に否定するわけではない。否定されるべきはむしろ「すべての対象／出来事を覆いつくす〝世界〟」のほうであり、そもそも統一的な世界など存在しないと言うのである［★10］。ガブリエルによれば、存在するのは複数の多様な「意味の場（field of sense / Sinnfeld）」に他ならない。たとえば哲学や芸術、文学など人文学的分野は、科学技術とは別の意味次元にある対象領域なのだ。こうして、理由律のもとで万事を科学的見地から語ることができ、テクノロジーでどんな問題も解決できるという安易な進歩主義は正面から否定されることになる。つまり、ガブリエルの議論は、メイヤスーと同じく、コンピューティング・パラダイムにもとづく偽‐情報学的転回にたいする鋭い批判に帰着するのである。

ただしガブリエルは科学技術を単に批判するだけではない。その議論の用語においては、「宇宙（地上の自然物をふくむ）」を、すでに否定した「世界」と区別して自然科学的な対象領域と見なすのだが、宇宙のなかを物理学などの科学技術によって探究していく営為や、もたらされる知見には敬意を払うのである。ガブリエルがきびしく批判するのは、科学技術が人間の心／精神（Geist）をはじめ人文／社会的な意味の領域にまで無遠慮に入りこみ、やがてすべてを究明できるという近年の自然科学万能の思想風潮なのである。

この潮流は、論理主義者であり分析哲学の鼻祖であるラッセルに由来する「心の哲学（philosophy of mind）」と関連が深い。これが現在のＡＩや認知科学を支える哲学理論であることは周知の通りだ。たとえば、米国の分析哲学者ダニエル・デネットの主張は、「心とは脳なのだ」とか、「あらゆる心的現象が、物理的な原理、法則、原材料で（原理的には）説明できる」とかいった唯物論的なものである。こういった議論をガブリエルの新実在論は徹底的に攻撃する［★11］。詳しくは著書『「私」は脳ではない』［★12］を参照していただきたいが、要するに、脳科学が分析の対象にできるのは心の一部の側面に限られており、脳は心の必要条件ではあっても十分条件ではない、と断言するのだ。脳科学者のなかには、人間の自由意思などは幻想であり、脳神経のダイナミックスがすべての思考を決定していると主張する者も少なくないが、そういう「神経（ニューロ）中心主義」はきびしくしりぞけられるのである。

さて、メイヤスーやガブリエルの説く新実在論は、ネオ・サイバネティクスとくに基礎情報学の主張といかに関連するのであろうか。

前述のように、新実在論は主観や文化の相違がもたらす20世紀の相対的価値観のなかで、客観的

［★10］Gabriel, M. *Warum es die Welt nicht gibt*, Ullstein, Berlin, 2013.［清水一浩訳『なぜ世界は存在しないのか』講談社選書メチエ、２０１８年］

［★11］Denett, D. *Consciousness Explained*, Back Bay, Boston, 1991.［山口泰司訳『解明される意識』青土社、１９９８年］、および『新実存主義』、前掲、40頁を参照。

［★12］Gabriel, M. *Ich ist nicht Gehirn*, Ullstein, Berlin, 2015.［姫田多佳子訳『「私」は脳ではない』講談社選書メチエ、２０１９年］

／普遍的な議論の基盤を確立しようとする21世紀の哲学的試みだった。そしてそれは結果的には、コンピューティング・パラダイムによる科学技術的な進歩の絶対化（偽‐情報学的転回）の却下につながったのである。一方、基礎情報学は、一種の相対的価値観を保ちつつ、サイバネティック・パラダイムにもとづく正当な情報学的転回をめざそうとする。したがって、コンピューティング・パラダイムによる進歩主義的デジタル革命を批判するという点では、新実在論と基礎情報学の議論は見事に共鳴すると言ってよいであろう。

とはいえ、基礎情報学的な観点から新実在論にたいする疑問点が無いとはいえない。粗っぽく言えば、新実在論の哲学は、科学技術的な知見とそれ以外の人文社会的あるいは日常生活的な知見とをあまりに峻別しすぎるのである。はたして両者のあいだに明確な線引きができるであろうか。確かに科学技術的な理系領域では実験や論理が重んじられ、そのほかの領域よりも知見の客観性が比較的高いことは間違いない。だが、現実に研究開発に従事した経験をもつ者であれば、科学技術的知見が主観的な推定や不完全な仮説にもとづく曖昧さを免れがたいことに誰もが同意するであろう。現代科学技術の研究開発とは、競争的な利害や名誉欲が錯綜する人間臭い営為なのだ。さらに一般論として、それは社会的権威をもつ学問的パラダイムのもとで実行されており、パラダイム改革で知見が根本的に変わることも稀ではない[★13]。哲学者の議論だから無理はないが、新実在論ではそのあたりの考察がきわめて不十分だという印象をうける。

メイヤスーは事実性を重視するが、ここでいう「事実」とは科学的な客観性をもつ記述で表現される命題であろう。だが、観察者をいっさい度外視してそういう客観的記述がありえるであろうか。たとえば、「ある土地でXX年に大洪水が起きた」というのは客観的な災厄の事実のように見える。

だが歴史的には、それは「豊作をもたらす恵みの大雨がふった」とか、「隣国の侵略から守ってくれる天然の防壁が生じた」といった記述で表現されるかもしれない。つまり、いくら「事実」といっても、観察記述における恣意性や価値観を無視することは不可能なのである。

ガブリエルの議論にも同様の問題点がある。人間にとって自然科学的な対象領域以外の思考の領域があるという主張はまったく正しい。だが、逆に言うとそのためには、前者を定義する境界線の確定が必要となるはずだ。科学的営為のもたらす情報と、それ以外の営為のもたらす情報とはいかに異なるのか。

ガブリエルは哲学者のフィヒテやサールの議論をふまえて、答えをひとまず用意している。近代科学は、「絶対的客観モード」で分析研究をおこなっており、えられた記述は絶対的客観性をもつというわけだ。それが「知識（Wissen）」であり、主観的な「イメージ（Vorstellung）」とは異なるということになる。そして知識は他者と「分かちあえる」が、イメージはクオリアなど個人的印象をふくむので他者と「分かちあえない」と主張する。なぜなら、知識には、誰でもその真実性を確かめる「理由」があるから、と述べるのだ[★14]。

もし、科学技術的な知が本当に「絶対的客観性」をもつなら、そして、メイヤスーが疑問視した「理由律」が成立するなら、ガブリエルの二分法は有効であろう。情報を誰かに送るとき、「知識」ならきちんと伝わるが、「イメージ」なら不可能とはっきり分かるので、問題は生じない。しかし、

[★13]トーマス・クーン『科学革命の構造』中山茂訳、みすず書房、1971年。
[★14]『「私」は脳ではない』、前掲、237～251頁

実際にはそうでないのであり、まさに截然と二分できないこと、理由も不明確なことが問題なのである。一見すると科学的で絶対的客観性をもつような印象をあたえる言明が、記述の断定口調や社会的権威に依存しているだけで、実は主観的で曖昧な言明であることなど、日常生活では決して珍しいことではない。そして、すべてがデジタル情報化されていく現在、知識とイメージのあいだの境界線や、科学とそれ以外の分野の記述のあいだの境界線はますます揺らいでおり、だからこそ基礎情報学が必要とされるのである。

4・3　生命論からの考察

ガブリエルが神経（ニューロ）中心主義を批判し、人間の自由意思を擁護しようとする意図は貴重なものだ。これは人間の機械部品化という近年の社会潮流への抵抗である。だが、脳科学やデジタル革命、さらにAIによる人文社会分野への侵犯をふせぐには、人間の理性中心の古典的な哲学に依拠するだけでは足りない。絶対的な客観知を生みだす活動として科学技術研究を理想化し、人文学研究からそれらを切り離す戦略は、残念ながらあまり有効な説得性をもたないのだ。

むしろ、科学技術研究開発をふくむ多様な人間の営為を「情報」という観点から統合的にとらえ直す作業がきわめて大切なのである。なぜなら、脳科学をもとに人文知をふくむ多種多様な人間の思考を再現しようとする研究は、コンピュータによる認知科学的シミュレーションと一体であり、デジタル情報処理と不可分だからである。したがって、シャノン流の機械情報的な概念を刷新し、より広く「生命と情報」に注目することが戦略として必要と言えるのだ。なにより「人間とは生物だ」という前提でサイバネティック・パラダイムを導入し、機械的な情報処理万能のコンピュータ・パラダイムの過度な占有拡大に異議を申し立てなくてはならない。

人間の自由意思はガブリエルがもっとも重視するものだが、自由は、人間という生物だけがもつわけではない。確かに理性をもつ人間だけの論理性や倫理性もあるが、より根本的には、身体をもつあらゆる生物は生きるための原基的な自由をもっているのである。生物は自律的に行動する存在であり、そこが他律的な機械とはまったく違う点なのだ。あくまで過去に人間によって与えられたルールにもとづいて作動する機械と、刻々とリアルタイムで流れていく現在の瞬間ごとに柔軟に行動を決めていける生物との相違に着目しなければ、現代における人間の自由を明確に位置づけることはできない。

すなわち、古典哲学が題材としてきた「人間とその他の生物との違い」よりむしろ、「生物とその他の存在（機械など）との違い」が現代の喫緊のテーマとなる。なぜなら、生物とは、みずからの種や個体の経験にもとづく（主観的）立場から世界を自律的に観察し、構成している存在だからである。そういう行為から生命情報が創出される。そしてガブリエルがいう「意味の場」における「意味（Sinn）」も、もともと生きるための価値に発しており、コンピュータによる機械的な情報処理だけではとらえ切れないのである。

この点で、分子生物学をはじめとする現代生命科学はあまりに機械論的すぎるのではないであろうか。20世紀半ばのDNA二重らせんモデルの発見は有益だったにせよ、人間の生命活動がそれら遺伝情報だけで決定されるわけではない。このことは、エピジェネティクス〔★15〕はじめそれ以降の研究ですでに明らかにされている。機械論的な生命科学が、生物という存在は物理化学的知見によって解明できるという唯物論的信念を生み、それが「(人間の)心は脳だ」という神経(ニューロ)中心主義による断定をもたらしたのである。

なお、ここで一言断っておこう。生物が単なる物質的存在ではないという理念はかつてあったのだが、20世紀の生物学で徹底的に批判されてしまった。葬り去られた代表格はドイツの生物学者ハンス・ドリーシュの生気論である[★16]。ドリーシュはエンテレヒーという概念を主張し、生物には機械論に還元できない特有の生命力のようなものがあると論じたのだが、分子生物学をはじめとする現代生物学により、生物は物理化学的に説明できない霊妙な性質など持っていないとされたのである(ただし、科学史家の米本昌平は近年、ドリーシュの議論はたやすく否定できるような内容ではなく、さらに緻密な学問的検討に値するという主張を説得的に展開している[★17])。

こうして20世紀には、あらゆる生物を自然科学法則にしたがう物質的存在と見なす唯物論的な思考が生命科学における学問的権威を獲得したのであり、人間の心を脳神経の機能で説明する研究はその流れにそっている。したがって、これを批判するには、生命科学と人文科学の境界領域に踏み込み、あらためて「生物とは何か」と問い直す作業が不可欠となってくる。1970〜80年代に生まれたオートポイエーシス理論がそういう学問的挑戦だったことは言うまでもない。そこでは、生物の細胞の物質的性質は唯物論的な生命科学にしたがうものの、システムとしての作動メカニズムには生物だけの特異性があるという議論が展開される。すなわち、システム論的見地からすると、生物は自律的に作動しつつみずからをつくり変えていく自己準拠的なAPS(autopoietic system)なのであり、この点で他律機械的なシステム(allopoietic system)とは明らかに異なるのである。生物は世界を観察している存在であり、人間もその一員だと考えるとき、あたかも万物を神のように見渡す素朴実在論にもとづく科学的記述の絶対性は崩れ去る。ネオ・サイバネティクスは、こういう視角から生命科学と人文科学の境界領域に踏み込み、神経（ニューロ）中心主義を批判しようとつとめるのだ。

ただし、この境界領域に挑戦するのはネオ・サイバネティクスだけではない。ここでいま一つの試みである記号論的アプローチについて述べておこう。周知のように、生物を物理化学的に分析できる「客体」として分析するのでなく、環境からの刺激の「意味」を解釈する「主体」としてとらえようとしたのは生物学者ヤーコプ・フォン・ユクスキュルである。生物はそれぞれ、知覚器官にもとづいて生物種特有の環世界（Umwelt）をつくりあげ、そのなかで生きているというわけだ[★18]。これは、生物を単なる物質的存在と見なす主流の現代生命科学とはまったく異なる生物観に他ならない。そして、環世界論の流れをつぎ、記号論と進化論を結ぶ「生命記号論（biosemiotics）」という壮大な議論を展開しているのが、スウェーデンの生物学者ジェスパー・ホフマイヤーである[★19]。

記号についての学問は二つある。ソシュールの記号学（semiology）は前述のように言語学的転回

[★15] ＤＮＡの塩基配列ではなく、染色体における変化で生じる細胞の性質は、エピジェネティクス現象とよばれる。
[★16] ハンス・ドリーシュ『生気論の歴史と理論』米本昌平（訳・解説）、書籍工房早山、２００７年
[★17] 米本昌平『バイオエピステモロジー』、『ニュートン主義の罠』、『バイオエピステモロジー序説』、書籍工房早山、２０１５年、２０１７年、２０２０年
[★18]『生物から見た世界』、前掲、２００５年
[★19] Hoffmeyer, J. *Signs of Meaning in the Universe*, Indiana Univ. Press, Indianapolis, 1996.［松野孝一郎＋高原美規訳『生命記号論』青土社、１９９９年］

をもたらしたが、いま一つはプラグマティズム哲学の始祖の一人であるチャールズ・サンダーズ・パースの記号論（semiotics）であり、ホフマイヤーの生命記号論は後者にもとづいている[★20]。よく知られているようにパースの記号論は第一項の「記号表現（representamen）」、それが指し示す第二項の「対象（referent）」、そして第三項の「解釈項（interpretant）」の三項関係からなる。記号表現の意味解釈に対応するのが、解釈項に他ならない。たとえば、医師のもとに来た患者に発疹があるとしよう。発疹（という記号表現）はいかなる病気（意味）を表しているかと医師は考え、診断をくだそうとする。医師の心中にある解釈項は「チフスか麻疹、またはアレルギー」といったものだ。正しい診断（対象）はまだ不明なので、解釈項を記号表現に転化させ、あらためて「たぶん食物アレルギー」という解釈項をつくりだす。このように、解釈が次々に実行されて対象に迫っていく、仮説推量（abduction）という思考プロセスがパース記号論の核心なのである。

基礎情報学において、受けとった情報の意味内容はあらかじめ固定されてはおらず、受けとった側で解釈されるのだから、パース記号論における意味解釈のプロセスが心的システムの作動と対応することは明らかであろう。それだけでなく、パース記号論やそれにもとづくホフマイヤーの生命記号論は、基礎情報学の発想とかなりの共通点をもっている。両者とも、人間をふくむ生物が、周囲環境を眺めて解釈する行為や視座とかかわっているからである[★21]。ホフマイヤーが好んで引用するのは、パースの「自然には習慣化する傾向がある」という言葉だ。習慣は法則と違って曖昧さをふくんでいる。つまりこれは、自然界には恒常的に成立する絶対的法則が存在し、それを探究するのが科学だという、素朴実在論にもとづく通俗的な信念に反する考え方だと言えるであろう。

世界は解釈主体と関係なく客観的に存立するのではなく、知覚されたもの（記号表現）から仮説推量のプロセスを積み重ね、解釈主体のなかに堆積された意味内容と経験からつくりあげられるものこそが世界だというわけである。前述のように、メイヤスーの思弁的実在論は、神が定めた恒常的な法則（絶対的秩序）が存在する自然界のなかを理由律によって探究できるという古典的な形而上学的議論は近代哲学で成立せず、結局、万事は偶然によって生起するとしか言えなくなる、と論じた。この議論は、コンピューティング・パラダイムによる視座の根本的転回の必要性につながるのだが、すでに19世紀にパースによって、婉曲的にせよ、示唆されていたと言えるかもしれない。

ホフマイヤーは「生物はその存在自身で習慣を獲得する自然の傾向を持っている」と述べる〔★22〕。生物の身体とは自然界の挙動の予測可能性にもとづいており、その習慣性の体現なのだ。生物は「宿命（法則）」と「自由（法則からの逸脱）」という両面をもつと、生命記号論は主張する。前者は生物が情報（記号）の意味を解釈するときの「規則性」、後者は「誤り」を表している。たとえば、細胞はゲノムを規則的に自己複製して増殖するが、これは周囲環境の予測にもとづく生存戦略に他ならない。だがそこには、「誤り」という逸脱も生じうる。この誤りこそ自由な意味解釈であり、突然変異という生物進化の原動力なのだ。

言いかえると、情報（記号）のあらわす「意味」とは本来、ＡＩの情報処理の仮定に反して、あらかじめ論理的に決まっているものではない。「意味」は生物の生存価値とかかわっており、進化

〔★20〕Eco, U. *A Theory of Semiotics*, Indiana Univ. Press, Indianapolis, 1976.〔池上嘉彦訳『記号論Ｉ・Ⅱ』岩波書店〕、米盛裕二『パースの記号学』勁草書房、１９８１年、などを参照。
〔★21〕『基礎情報学』、前掲、50〜63頁
〔★22〕『生命記号論』、前掲訳書、56頁

のプロセスで形成され続けていくのである。ホフマイヤーは生態系全体のなかで、さまざまな生物種が相互におこなっている情報交換に着目する。それらは、生物が予測可能性を引き上げ、生存可能性を高めるためのものなのだ。情報交換のプロセスを通じて、新たな規則性（宿命）と逸脱（自由）が生まれ、生態系が進化していくというわけである。

このように、生命記号論とネオ・サイバネティクスとの間には、物理化学法則だけによらない生命論という点で顕著な共通点がある。基礎情報学もその成立時に、生命記号論から示唆をうけた面は少なくない。さらに、両者を正面から結びつけようとした学問的試みとして、デンマークのゼーレン・ブリアによる「サイバー記号論（cybersemiotics）」について簡単にふれておこう［★23］。詳しくは西田洋平による概括論文「ネオ・サイバネティクスと生命記号論」［★24］を参照していただきたいが、サイバー記号論もパースの記号論にもとづいている。それぞれ独立に成立したにもかかわらず、サイバー記号論と基礎情報学が、研究の意図や目的において親近性をもつことは確かである。すなわち「情報の生命的な側面の強調によって情報処理パラダイムの超克を企図するという点」でこれらは共通しているのだ（ブリアはコンピューティング・パラダイムを「情報処理パラダイム」と呼ぶ）。

とはいえ、ネオ・サイバネティクスと記号論とは、本質的に理論的統合が困難なことを指摘しておかなくてはならない。その理由を平たくいえば、前者がAPSのような閉じたシステムの内部作動を扱うのに対し、後者は開かれたモデルで記号の意味解釈を論じるためだ。となると、くりかえしになるが、APS同士のあいだで情報（記号）を伝達することは原理的困難性をはらんでしまう。それゆえ、いずれか一方に理論的重心をおかなくてはならない。サイバー記号論はここで、パースの汎記号論に近づいていく。この結果について西田は、「サイバーセミオティクスの存在論的な枠組みは、ネオ・サイバネティクスにおける閉鎖性、構成的現実、観察者の営為、認識論といった核心を軽視している」と批判している[★25]。一方、基礎情報学では逆に記号論から離れ、オートポイエーシス理論に階層性を入れたHACSモデルによって問題解決をはかろうとする。なぜなら、記号の意味解釈はそもそも曖昧性をはらむ以上、意味内容の伝達が論理的には擬制的なものと化すのはやむをえないからだ。コンピューティング・パラダイム（情報処理パラダイム）の超克は、あくまで、「情報的閉鎖性」という認識論的な転回によってもたらされるものなのである。

4・4 内部観測

ホフマイヤーの『生命記号論』の訳者である生物物理学者、松野孝一郎によって構築された「内部観測（internal measurement）論」は、1990年代から少しずつ一般に知られるようになった。独特の哲学的な用語をふくんだ難解精緻な議論であり、ここで十分に説明することはできないが、簡潔に骨子だけを紹介しよう。ある意味でそれは、基礎情報学と深い関わりをもつとも言えるからだ。

松野は、「ものを眺める時、それが我々の仲間であれ、他の動物、植物、単細胞生物、更に分子、原子のいずれであれ、全体を外から眺めることが適わぬとするならば、内から眺めるのみである」

［★23］Brier, S. *Cybersemiotics*, Univ. Toronto Press, Toronto, 2008.
［★24］西田洋平「ネオ・サイバネティクスと生命記号論」、『思想』1035号、2010年7月
［★25］同右論文、132頁

と述べる[★26]。ここでいう「内部からの観測」とは、フォン・ユクスキュルによる、「主体としての生物の視点」の強調だけにとどまるものではない。むしろ、物理学をはじめ、あらゆる実験科学で想定されている空間・時間の概念の根本的な見直しを迫る、科学哲学的な議論として位置づけられる。いわゆる科学的な記述は、対象を全体的な視野のなかでとらえ、しかも時間によらない普遍的な現在形で語るのが通例だ。それをもとに技術的な研究開発も実行されている。だが、その根拠はいったいどこにあるのか、論理的飛躍はないのか、と内部観測論は問いかけるのである。

科学技術的な知見はそもそも、行為をおこなう者の経験の積み重ねから生じるものだ。このことは誰しも認めるであろう。ところで具体的な行為者は、限られた「局所的な視野」にもとづき、刻々とリアルタイムで流れていく時間のなかで、「現在進行形」で活動している。さらにそこで行為者は、周囲環境の多様な存在と、利害をふくむ種々の目論見をもって「相互作用」している。これが内部観測（内部観察）の実体だ。たとえば、ある人物が人混みのなかで歩いているとしよう。本人は他人と衝突を避けようとしているが、同時に他人も本人に衝突しないよう、能動的に行動している。本人は衝突という近未来の事態を回避しようと、時々刻々、内部観測つまり「内からの観測」をしながら行動を続けるわけだ。このような現在進行中の運動は、内部観測があってはじめて可能となる。これが「経験」の実体に他ならない[★27]。

さて、時間が経過し、この人物の歩行が終わって現在進行形が「現在完了形」になったとき、本人の歩行という運動を、外から眺めた記録として記述することが可能となる。そして、時間によらず成立する「現在形」で表現される運動記述が、力学的な運動論のベースとなる。つまり、物理学のような科学においては、局所視野にもとづく個別の行為経験そのものではなく、全体状況を指し示すことができる自存／自立した名詞（全称名詞）が求められ、「全体を非時間的に把握出来るとする全体視野がはからずとも同時に持ち込まれる」［★28］のだ。しかし松野は、「実験科学は自存、自立する経験事象を強引に作り上げ、それを自存、自立するとされる抽象疑念に結びつけることを旨とするが、経験事象は構成されるべき対象であって、非時間的な自存、自立とは元来無縁である」［★29］と断じる。これは、当然のごとく現在形で記述される科学法則にもとづく予測活動をおこなう現代科学技術に、根本的な再考をうながす議論と言えるであろう。

平たくいえば、行為者の経験とは、局所的な空間と流れていく時間のなかで生まれる、現在進行形でしか記述できない具体的なものである。ゆえにそれを、自存／自立した非時間的な事象と見なし、現在形で記述して法則のような命題に直結するのは安易すぎる、ということだ。現在進行形の経験を、法則のような現在形の抽象的記述に結びつけるためには、本来、より知的な作業が不可欠なのである。

だが、行為者の経験から、普遍的な科学的記述（記録）にたどりつくまでの行程には、難題が控えている。行為者は周囲環境と相互作用しつつ、現在進行形でひたすら行動しているにすぎない。そのありさまを、誰が、いかにして、内側から観察（観測）し記述できるのであろうか。観察者は行為者という対象と「一体化」すればよいという気もするであろう。だが、言語的な記述において

［★26］郡司ペギオ幸夫＋松野孝一郎＋オットー・E・レスラー『内部観測』青土社、１９９７年、44頁
［★27］松野孝一郎『内部観測とは何か』青土社、２０００年、13〜15頁
［★28］『内部観測』、前掲、１９９７年、22〜23頁
［★29］同右書、26頁

は、文法上、主体（主語）と客体（目的語）の「分離」がつきものだ。この矛盾が難題となるのである。

松野とともに内部観測の議論を展開している理論生物学者の郡司ペギオ幸夫は、この難題を、「存在論と認識論の相克」という昔ながらの哲学的テーマと関連づけてとらえている[★30]。存在論というのは世界のなかの対象（存在）のありかたを論じるものであり、認識論とは対象を認識し記述するやり方を論じるものだ。郡司は、現在形の記述にもとづく存在論とこれにもとづく認識論の関係にひそむ問題点をえぐりだすことによって、現在進行形の経験の記述にもとづく新たな存在論を構築しようと模索していく[★31]。

さて、このような内部観測論には確かに論理的説得性がある。科学哲学としてきわめて注目すべき貴重な原理的議論であることは間違いない。さらにまた、コンピューティング・パラダイムによる情報処理とは「現在形で記述されるデータの形式的処理」なのだから、内部観測論は同パラダイムに対する批判としても位置づけられるであろう。ゆえにそれはネオ・サイバネティクスと軌を一にするとも言えるのである。とはいえ、はたして内部観測論が実際におこなわれている現代科学技術の研究開発にいかなる影響を与えることができるか、というのはまた別の問題だ。

率直にいえば、緻密に構築された内部観測論は、現代科学技術の研究開発の現場ではほとんど無視されてしまう可能性が高いのではないか。現場では、素朴実在論にもとづき、現在形で記述された命題群をもとに研究開発が実行されている。現在進行形と現在完了形と現在形の区別をもとに命題群を書き直すという膨大な作業をおこなうには、その作業がいかなる実効性をもつかが問われなくてはならない。つまり結果的に、科学的予測の精度が高まったり、技術によって生活が改善されたりしないかぎり、そのような煩雑な作業は期待できないと思われる。

ことは実験科学の領域だけでなく、広く人間の思考の本質そのものにかかわっているのだ。われわれ人間は、個人的な経験を一般化し、曖昧性を残しながらも、空間・時間をつらぬく現在形の言語命題として表現し、記述し、それをもとに生活するという習慣や傾向をもっている。英語には現在進行形と現在形の区分があるが、フランス語では現在形のなかに両者がふくまれているし、日本語では両者の使用区分はそれほど明確ではない。このことは、決して言語体系としての不備ではないのだ。実際、内部観測論の記述自体、基本的に松野や郡司の個人的経験にもとづいているはずだが、現在進行形ではなく、現在形で書かれているではないか。論理的には自己矛盾だという批判をうけるであろう。内部観測論を活かすには、この点を深く省察することが必要である。すでに述べてきたように、情報学的には「社会情報の意味はかならずしも他者に精確無比に伝達されるわけではない」のだから、そういう限界をわきまえた上で、議論の内容の社会的な伝達や受容について、より柔軟なレベルで対処しなくてはならない。一般に分析哲学的な議論のなかには、細かい局所的な論理性にこだわるあまり、大局的に見ると的外れな方向に突き進むものが少なくないが、これは論理主義のもつ大きな欠点である。

以上の点に関連して、西田洋平は、内部観測論と基礎情報学の関係につき「情報伝達という擬制と主体としての生命」という論考で的確な指摘をおこなっている[★32]。問われるのは、生命活動

[★30] 同右書、98〜112頁
[★31] 郡司ペギオ幸夫『原生計算と存在論的観測』東京大学出版会、2004年

を対象としたときの存在論と認識論の裂け目である。生物はリアルタイムの経験のなかで行動し生きているのだから、素朴実在論にもとづいてその活動を外から観察し記述するだけでは不十分なのは確かである。この点では内部観測論も基礎情報学も一致している。だが、郡司は、観察者の視点移動の結果としての内的視点と、本来の行為者の意味での内的視点とは違うと強調する。前者は対象と観察（観測）者との分離を前提とした「認識論的観測者」であり、後者は対象に参加する観察（観測）者である「存在論的観測者」だというわけだ[★33]。生命を理解するには後者が必要だが、後者を求めつつ前者に陥ってしまうのがオートポイエーシス理論であると郡司は批判するのである。端的には、オートポイエーシス理論は実在論ではないかというわけだ。

はたして基礎情報学は実在論にもとづいているであろうか。オートポイエーシス理論は当初、素朴実在論にもとづく現代生命科学と議論の土俵を共有するため、実在そのものを頭から否定しなかったとは言えるであろう。だが、その目的が、行為する生物の本質をとらえるために内側の視点を強調したことは明らかであり、対象を客体としてのみとらえる実在論とオートポイエーシス理論を粗雑に同一視してはならない。オートポイエーシス理論において、行為と観察という問題はマトゥラーナやヴァレラによってもくりかえし論じられてきたのである。

西田は、ハイデガーの存在論において「生命＝行為者」がいかに対象化され記述されているかという言及をふまえ、郡司の批判に対し次のように反論している。

他者としての生命を論じる際には、このような対象化は不可避であり、それによって「近づき」の方法あるいはその結果の成否という認識論的問いが開かれるのであって、その意味では、実在論的記述としての傾向を帯びざるを得ないと言える。生命へのアプローチ方法は、原則として存在論的であるとしても、実際問題としては、認識論的にならざるを得ない面があるのである。郡司は、認識論的観測に対して存在論的観測の優位を主張するが、彼もまた具体的論述においては、さまざまなモデルをあたかも実在論的に、記述的に提示しているのであり、そうせざるを得ないのだと言えるだろう[★34]。

要するに、オートポイエーシス理論は生物の行為に焦点をしぼるが、その議論そのものを成立させるために観察者も重要なのであり、そこで観察者と独立に実在する対象が安易に前提されているわけではないのである。オートポイエーシス理論を大きくとらえれば、システムは観察者によって構成され、観察者はシステムの延長線上に存在する、という「認識論的円環」が認められる。だからそれは、実在論とはかけ離れた議論に他ならないのだ。基礎情報学ではとくに「原点としての観察者」がより強調され、「観察者は、一見、対象との分離独立を前提とするようであるが、厳密には、観察者がそのように対象を構成するのであり、だからこそ、自律的であり拘束的でもあるといった、システムの複眼的な観察が可能なのである」[★35]と西田は述べる。これは、システムの内的視点

[★32]西田洋平「情報伝達という擬制と主体としての生命」、西垣通+河島茂生+西川アサキ+大井奈美(編)『基礎情報学のヴァイアビリティ』東京大学出版会、2014年、所収

[★33]『原生計算と存在論的観測』、前掲、30～31頁

[★34]「情報伝達という擬制と主体としての生命」、前掲論文、163頁

[★35]同右論文、164頁

からの観察記述という概念にたいする、説得力のある指摘だと言ってよい。

現代科学技術を論じる際には、理論のための理論ではなく、実効的にそれが人間の生活に及ぼす影響を批判的にとらえる姿勢や論点が大切である。基礎情報学の主目的は、コンピューティング・パラダイムの過度な遵守にもとづく「偽‐情報学的転回」を批判し、人間のための情報技術の望ましい発展方向について考察することにある。ところでこの点で、郡司は内部観測にもとづく「天然知能」という非常に興味深い議論を展開しているので、第Ⅲ部ではこれについてもふれることにしよう。

第III部

人間のための情報技術／AIという衝撃

第5章

AIの論理と誘惑

5・1　AIのもたらす「偽−情報学的転回」

本章では、AIとネオ・サイバネティクス、とくに基礎情報学との関連について述べる。「人間のように思考する機械」いやさらに「人間をしのぐ知力をもつ機械」をめざすAIは、コンピューティング・パラダイムとサイバネティック・パラダイムとの違いを、これまでになくはっきり顕在化させるからだ。さらにまた、基礎情報学の観点からAIを論じることによって、いま心配される「偽−情報学的転回（fake informatic turn）」を批判する視座もひらけてくるであろう。前述のように言語学的転回は、有色人文化をふくむ地球上の多様な思考への道を拓いた。これをさらに豊饒にするのが情報学的転回のはずなのに、逆にユダヤ＝キリスト一神教を世俗化したトランス・ヒューマニズムとテクノロジーによって、地球を一元的に支配しようとする方向性が偽−情報学的転回なのである。それは端的には、大半の人間をどこまでも情報処理機械に近づけ、結果的にその自由を奪ってしまう社会潮流に他ならない。

２０１０年代後半以来、ＡＩは国内外で大きなブームとなっている。ＡＩがブームとなったのはこれが三回目で、現在は第三次ブームと呼ばれている。

第一次ブームは１９５０〜60年代にかけて、つまりコンピュータが発明され実用化されていった初期の段階に起こったブームであり、１９５６年に開かれたダートマス会議でＡＩ（Artificial Intelligence）という言葉が生まれたことでも知られている。この頃に「（人間のように）思考する機械」としてのコンピュータに期待が集まったのは、当時の知的雰囲気から見て当然のことだった。すでに第1章で述べたように、20世紀前半は論理主義や記号論理学が盛んになり、論理的ルールにもとづく形式的な記号操作が正しい思考のモデルとなった時代である。記号操作を実行する論理演算機械がコンピュータだとすれば、それが人間のような知能をもつと考えることに不思議はない。実際、ダートマス会議で提示されたロジックセオリストというプログラムは、ラッセルとホワイトヘッドの『数学原理』に書かれた数学的命題のかなりの部分を自動的に導出し、参加者を驚かせたのだった。

しかし、成功はあくまで純粋に数学的／論理的な分野の話である。その他の応用としてはせいぜい簡単なゲームかパズルを解くくらいが関の山で、機械翻訳などの実用分野ではＡＩはほとんど役に立たなかった。文章中の単語には多義語が少なくないし、文法も例外だらけだからである。

この反省をふまえ、論理操作に加えて実用的思考に不可欠な「知識」を活用しようという発想から始まったのが、１９８０年代の第二次ブームだった。医者や法律家など専門家（expert）のもつ膨大な知識群を命題としてコンピュータ・メモリに蓄積しておき、それらを自動的に組み合わせて推論し結論を導くエキスパート・システムが代表例である。これは、その当時に汎用大型計算機(メインフレーム)という大規模なコンピュータが普及して処理能力が大きく向上したことも影響している。だが専門知識のなかにはケースバイケースの判断を要する曖昧な部分があり、それゆえ医者や弁護士には直観と経験が大切なのだ。形式的推論だけでたやすく答えが出る場合など例外であり、かえってメモリ中の命題が相互に論理矛盾をはらむ場合さえ少なくない。こうして、医学的診断や法的判断など、社会的責任を問われる分野のエキスパート・システムはほとんど実用化されずに終わった。機械翻訳も言語学研究と結んでさまざまな理論的/実験的な工夫がなされたが、広く実用化されるには至らなかった。

第一次と第二次のAIブームの挫折がもたらした知見とは何だったのであろうか。それは、論理主義者の主張に反して、われわれ人間社会の思考やコミュニケーションが必ずしも論理整合的ではなく、曖昧性や矛盾をふくんでいるということだ。これはいわば当然の常識と言える。

では現在の第三次ブームはいかにして生じたのであろうか。第二次ブームが終了した後も、AI研究は地道に続けられ、大量のデータを統計処理する機械学習などが模索されていたのだが、2010年代前半に顕著な技術革新が生じた。これが多段階のニューラル(神経)ネットワーク・モデルによるパターン認識、すなわち「深層学習(deep learning)」の実用化である。画像や音声などのパターンの認識は論理記号演算をおこなうコンピュータには苦手な分野だったが、そこにデータ統計処理と学習を導入したのである。実はこういう考え方自体は第一次/第二次ブームの頃から存在したのだが、ハードウェアの能力向上もあって一挙に実用化され、それが国際的な注目をあびて第三次ブームが起きたのである。

自動運転やロボット、機械翻訳などをはじめ、今やＡＩへの期待は高まる一方だが、その内容については拙著『ビッグデータと人工知能』［★01］にまとめたので省略し、ここではそれが引き起こした思想動向の深部にメスを入れることにしたい。端的には現在、近いうちにあらゆる分野で人間の能力をしのぐ汎用人工知能（Artificial General Intelligence）が出現するであろうという予測が、とくに欧米を中心に巻き起こっているのである。これはいわゆる「トランス・ヒューマニズム（超人間主義）」の復興に他ならない。

トランス・ヒューマニズムを支えるのは、われわれの思考をつかさどる知性というものがホモ・サピエンスという生物種から独立しており、したがって人間をはるかにしのぐ知性をもつ存在もありうる、という信念である。かつてその頂点には全知全能のユダヤ＝キリスト教的な唯一神が座していたが、もはや神は背後にしりぞき、宇宙のどこかにそんな超知性が在るとか、テクノロジーで超知性が現実化するとかいうSF的想像力と結びつくようになった。そして、われわれ人間のなすべきことは、超知性への接近ないし実現にあるという、科学技術的な進歩主義が語られている。トランス・ヒューマニズムは、いわゆる知性というものが、ホモ・サピエンスという生物の特性によって決定的に限界づけられていると見なすネオ・サイバネティカルな考え方と鋭く対立するものだ。神のように宇宙／世界を俯瞰する普遍的な眼差しを仮定するので、トランス・ヒューマニズムはコンピューティング・パラダイムと相性がよい。テクノロジーが神の代わりになるのであり、そういうテクノロジーを発展させるエリートが選民だというわけだ。こうして、偽-情報学的転回の歯車が回りだすのである。

コンピュータの画期的な技術革新があると、いったん下火になってもトランス・ヒューマニズムはいつも息を吹き返す。第一次／第二次ＡＩブームのときも、もう外国語学習など要らなくなるとか、弁護士や医者はやがて失業するといった言説がまことしやかに囁かれたものだった。こういう発想は、宇宙／世界がロゴス（論理／真理）でできているという西洋の古典的形而上学の伝統を基盤としている。ただし、ここで看過してはならない点がある。第一次／第二次ブームにおけるＡＩの特徴だった論理的な無謬性が、第三次ブームでは放棄されたということだ。

コンピュータは本来、（計算誤差をのぞけば）精確無比な答えをあたえる機械として誕生したのだが、ＡＩに統計処理が導入されたために誤りをおかす可能性が生じたのである。たとえばグーグルの英文機械翻訳文を眺めると、苦笑するような誤訳も少なくない。人間も間違えることはあるから、このこと自体は責められないが、現在のＡＩシステムが「ある程度の誤りを容認する」という前提で設計されている点には注意が肝心である。トランス・ヒューマニズムはもともと「無謬の知性」をめざすものだからだ。あえて強弁すれば、無謬の知性のなかに決定論的法則のみならず統計的法則もふくめるとし、確率誤差は無視するという議論もありえるが、「神はサイコロをふらない」という言葉にあるように、古典的形而上学においては確率や統計は前提とされていないのである。

5・2　トランス・ヒューマニストたちの主張

現在、トランス・ヒューマニズムは欧米ではかなりの信奉者をあつめ、巨大なプロジェクトが動

［★01］『ビッグデータと人工知能』、前掲、２０１６年

いている。ＡＩとバイオ工学を結びつけるものが多く、たとえば、米国プリンストン大学の「コネクトーム（生物の神経系モデリング）」研究や、欧州の「ヒューマン・ブレイン・プロジェクト（全脳シミュレーション計画）」などが知られている。これらはまだ実験段階なので詳細は省略するが、カリスマ的なトランス・ヒューマニスト（超人間主義者）たちが煽っていることは確かであろう。トランス・ヒューマニズムの概略やゆくえを見定めるために、ここで代表的な論者の議論を簡単に紹介しておきたい。

もっとも知られているのは「シンギュラリティ（技術特異点）仮説」を唱えている米国の未来学者レイ・カーツワイルである。周知のようにシンギュラリティというのは、ＡＩの能力が人間をしのいで爆発的に伸長を始める時点のことだ。カーツワイルは著書『シンギュラリティは近い（*The Singularity is Near*）』[★02]で、この時点を２０４５年と予測した。同書が刊行された２００５年にはそれほど注目されなかったが、第三次ブーム到来とともに圧倒的な人気を集めたのである。なお、シンギュラリティという概念をつくったのはカーツワイルではない。数学者でＳＦ作家のヴァーナー・ヴィンジが１９８０〜90年代に言い出したものであり、ＡＩ自体がＡＩを創りだすので、その進歩のありさまが人間の予測を超えるという、一種不気味な時点がシンギュラリティなのだが、そういう反ユートピア的な暗さはカーツワイルの著書からは払拭されている。

『シンギュラリティは近い』を読んでみると、豊富な知識をふまえた面白い近未来図ではあるが、すでに可能な技術と不確定な未来技術の記述が雑多に混在しており、信頼のおける科学的内容からは程遠い。２０４５年にシンギュラリティが到来するというセンセーショナルな予測は、著者のいう「収穫加速の法則（Law of Accelerating Returns）」から算定したらしいが、これはコンピュータのハード／ソフトなどの技術が指数関数的に向上してきたという経験則のことだ。機械の近年の進歩はその通りだとしても、一体なぜそれが「人間をしのぐ知性」の実現につながるのであろうか。理由は、カーツワイルが徹頭徹尾、人間機械論者だからに他ならない。脳細胞をすべてスキャンしてコンピュータ上で再現すればその人物は永遠に生きられるという「マインド・アップローディング説」が有名だが、カーツワイルがそんな荒唐無稽な説を唱えるのも、人間は心も身体もふくめてすべて機械だと信じているからなのだ。となれば、人間の脳神経より反応が速く、もっと記憶容量の大きい機械が人間よりやがて賢くなるのは当然、という議論になるのである。

人間機械論の当否は別として、ともかく驚くのはその底抜けの楽天主義である。テクノロジーは必ず人間を幸福にするという固い信念と情熱が、発明家でもあるカーツワイルの議論には充満している。だからこそ、テクノロジー万能主義の人々を惹きつけるのであろう。しかし、人間より賢明なＡＩが出現したと仮定して、それで人間はどうなるのか。たとえば万一、マインド・アップローディングが可能になったとしても、現実に不死になれるのはごく僅かの超富裕な「選民」にすぎない。圧倒的多数の人々はその恩恵にあずかれず、ＡＩに支配されるだけなのだ。そういう負の側面は、カーツワイルの視野にはほとんど入っていないように見受けられる。

同じトランス・ヒューマニストでも、単に未来の夢物語を描くだけではなく、皆で討論して望ましい形態の夢を実現しようと呼びかける実践的活動家もいる。マサチューセッツ工科大学教授の物理学者マックス・テグマークである。この人物はＡＩのはらむ負の社会的影響にも気を配り、猛烈

［★02］Kurzweil, R. The *Singularity is Near*, opt. cit. 2005.［『ポスト・ヒューマン誕生』、前掲、２００７年］

に発展していくＡＩを有益なものにしようと考えるのだ。

テグマークはもともと宇宙論が専門だったが、２０１４年に「生命の未来研究所ＦＬＩ（Future of Life Institute）」の主な設立メンバーとなり、以後、ＡＩの安全性に関する研究に努力をそそいでいる。ＦＬＩは企業家のイーロン・マスクが出資した国際的に知られる非営利団体で、ＡＩ関係者だけでなく社会科学や人文科学の著名な研究者も参加しており、学術的影響力はかなりのものだ。ＦＬＩの目標は、生命の未来をすばらしいものにすることだという。

物理学専攻の唯物論者だから当然かもしれないが、テグマークは、人間の知能をしのぐ機械の実現性を信じるトランス・ヒューマニストである。だが、それは下手をすると人類を絶滅させる危険をはらむかもしれないと懸念するのだ。その考え方は著書『ＬＩＦＥ３・０――人工知能時代に人間であるということ』［★03］にまとめられている。宇宙論の専門家らしく、一万年先、いや十億年先の未来さえも見すえた壮大なストーリーだが、内容は自分の意見を強く主張するというより、むしろ多様なシナリオを提示して、人々に活発な討論を呼びかける、という印象をあたえる。

ただし、唯物論的な前提はゆるがない。テグマークによれば、知能が宿る物質的ベースは、生物のような高分子タンパク質とは限らないということになる。この点で、チューリングやフォン・ノイマン、さらにカーツワイルとも一致している。「脳はクォークや電子が強力なコンピュータとして作用するように組みあわさってできているにすぎない」［★04］というのがその人間観だからだ。

ではいったい「知能」とは何であろうか。テグマークはそれを「複雑な目標を達成する能力」だと定義する［★05］。だが、目標はいったい誰が、どのような価値観にもとづいて設定するのか。複雑な目標を達成するには、それをサブ目標群に分解していく知能も必要だし、そもそも目標設定の段階でさまざまな価値観が並存する。社会的目標の設定においては、政治的利害が食い違う。ＡＩはそれをいかなる知能によって解決するのであろうか。

テグマークもそういう実践的な難題を知らないわけではないが、だからこそ「もっと皆で議論しよう」と呼びかけるのだ。ここには、民主的討論によって課題を解決できるはずだという、カーツワイルとは別の意味での楽天主義がある。２０１７年には国際会議が開催され、「アシロマＡＩ原則」が公開された。そこには次のような、きわめて善意にみちた条項が並んでいる。「科学と政治の連携――ＡＩ研究者と政策立案者は建設的かつ健全に交流せよ」「競争の回避――安全基準の軽視回避のため、各ＡＩシステム開発チームは積極的に協力しあうべきだ」「安全性――稼働中に安全かつ確実なように、ＡＩシステム適用の際は検証可能でなくてはならない」「失敗の透明性――ＡＩシステムが害を及ぼした場合、原因究明が可能でなくてはならない」「ＡＩ軍拡競争――自律型殺戮兵器の軍拡競争は避けるべきだ」などなど[★06]。

これらの条項に正面から反対する者はいない。だが一方、それらの実現性を信じる者も少ないであろう。政策立案者（政治家）の仕事は学術研究ではなく、ＡＩを利用して経済を成長させ、国民を管理し、軍備を固めることだ。企業はＡＩで利益をあげるため、互いに競争するのが原則である。

[★03] Tegmark, M. *Life 3.0 : Being Human in the Age of Artificial Intelligence*, Brockman, NY, 2017.［水谷淳（訳）『ＬＩＦＥ３・０――人工知能時代に人間であるということ』紀伊國屋書店、２０２０年］
[★04] 同右訳書、64頁
[★05] 同右訳書、79頁
[★06] 同右訳書、４７４～４７７頁

出力の正当性はＡＩの当然の目標だが、機械学習システムでは厳密な検証はなかなか困難である。とくに、深層学習は処理の不透明さが特徴で、失敗しても原因究明は難しい。軍事専門家は、自国民の命を守るために自律型兵器は不可欠だと主張するであろう……。

要するに、異分野の学者たちが一堂に会して討論すること自体はすばらしいが、それだけで問題は解決しない。ＦＬＩのような組織の存在意義は認めるにせよ、ＡＩの安全性や有益性を高めるには、理想を語り合うだけでは効果がないのだ。ＦＬＩの目的を達成するには、生命や機械、情報、さらに人間性に関する、いっそう踏み込んだ学問的洞察がなくてはならない。たとえば、テグマークは生命を「自己複製する情報処理システム」と見なしているが［★07］、この観点はまさにコンピューティング・パラダイムと重なっており、生命の本質をとらえているとはとても思えないのである。

カーツワイルやテグマークの主張を、アメリカ流の浅い楽天主義と位置づけるだけでは十分ではない。これは、欧米を中心にした国際的潮流なのである。英国オックスフォード大学教授の哲学者ニック・ボストロムは、１９９０年代末に「世界トランス・ヒューマニスト協会（World Transhumanist Association）」を設立した代表的なトランス・ヒューマニストの一人だ（日本にも協会支部がある）。この人物はＦＬＩの科学顧問なだけでなく、「人類の未来研究所」と「戦略的人工知能研究センター」の所長でもある。専門は分析哲学だが、ＡＩ、脳科学、物理学などの知識も豊富で、国際的な影響力はかなり大きいと言える。

ボストロムの思想の核心は、著書『スーパーインテリジェンス――超絶ＡＩと人類の命運』［★08］にまとめられている。読んでみると、さすがに分析哲学者らしく、細部では緻密かつ慎重な筆運びであり、理系の詳細な知識もなかなか豊富で感心させられる。現行ＡＩについてもその技術レベルをよく理解しており、カーツワイルのように未来の夢をただ楽しく語るだけではない。たとえば、ＡＩにとって、人間のもつ常識を理解したり自然言語を処理したりするのは難しい問題だと考えている。また人間の不死性をもたらすマインド・アップローディング（全脳エミュレーション）についても、それが近未来に実現される可能性は、ＡＩアプローチの成功可能性より低いと見なす良識の持ち主だ。つまり、少なくとも現在のところ、ＡＩは汎用知能のレベルにおいて人間に遠く及ばないというのが、ボストロムの学者としての見解なのである。

にもかかわらず、トランス・ヒューマニストのエースとしての真骨頂は、次の言葉に要約されている。「マシンを基質とする知能のほうが生物学的な知能よりもはるかに大きな可能性を持っている。（中略）マシンには基本的にさまざまな利点があり、それゆえ、スーパーインテリジェンスの基盤としては圧倒的に優位なのである。人間は所詮、一つの生物であり、遺伝子的に改良されたとしても、マシンの強さにはまったくかなわない」［★09］。この点でボストロムは、カーツワイルやテグマークとまったく一致している。超知能（スーパーインテリジェンス）とは、「ありとあらゆる関わりにおいて人間の認知パフォーマンスをはるかに超える知能」のことだという。そして、突然、断言するのだ、「スーパーインテリジェンスが実現される日は必ずやってくる」と。さらに、「今世紀

［★07］同右訳書、43頁
［★08］Bostrom, N. *Superintelligence : Paths, Dangers, Strategies*, Oxford Univ. Press, UK, 2014.［倉骨彰訳『スーパーインテリジェンス——超絶ＡＩと人類の命運』日本経済新聞出版社、２０１７年］
［★09］同右訳書、１１５頁

中にマシン・インテリジェンス（自律学習型人工知能システム）への移行が起こりうるという見解を学問的に提起できるようになった」と[★10]。

分析哲学によれば思考は言葉で表現されており、ゆえに常識をふくめ自然言語の理解は最大のポイントとなる。ＡＩにとってそれが困難だと知りながら、一体ボストロムはなぜ、どういう理由にもとづいて、人知をはるかにしのぐ超知能（スーパーインテリジェンス）が近々実現すると断言できるのであろうか？――その著書から説得力のある理由を読みとることはできない。表面的には緻密な論理を展開しているようで、根本的な部分に飛躍があるのだ。なぜなら、ボストロムを突き動かしているのは、学問的というより宗教的な情熱なのである。その著書はいかにも厳密に記された科学技術啓蒙書のように見えるが、実は「トランス・ヒューマニズム教」とでも呼べる一種の宗教にたいする、信仰告白の書物に他ならないのである。

ただし、その信仰告白が、楽天的なカーツワイルと異なり、一種の悲劇的なニュアンスをおびていることを指摘しておかなくてはならない。今世紀中に起こりうるマシン・インテリジェンス（自律学習型人工知能システム）への移行は、「さまざまな良きアウトカムを人類にもたらす一方、人類を存在論的リスクに遭遇させる危険を孕んでいる」とボストロムは述べる[★11]。このトランス・ヒューマニストが恐れるのは、知能爆発が人類滅亡の引き金になるのではないかということだ。いずれ人間がＡＩを制御できなくなる恐れがあるとすれば、その脅威に対する対策をただちに考えはじめなければならない[★12]。同じくリスクを懸念するテグマークと違って、ボストロムは、討論よりも自分自身で対策を模索しようとする。そこで、さまざまなコントロール案が検討されるのだが、何しろ相手は超知能なので、これは容易ではない。結局、「私は、コントロール問題についても、多くの紙面を割き、それを解決する難しさと、一見、順当な解決策に思われる方法がいかに破綻しうるかについて論じている」ことになってしまうのだ[★13]。絶対に解決できないことではないが、コントロールの困難は大きいということであろう。

忘れてはならないのは、ボストロムの著書のもつ悲観的な雰囲気は、楽天的なカーツワイルやテグマークの著書よりも、かえって多くの人々を惹きつける魅力をもちうる、という点である。これはユダヤ＝キリスト一神教におけるアポカリプス（黙示録）の影響かもしれないが、われわれ人類がやがて否応なく最終的な終末を迎える運命のもとにあるという予言は、西洋では昔からお馴染みのものなのだ。

5・3 ホモ・デウスが到来するとき

シンギュラリティだの超知能（スーパーインテリジェンス）だのが近々到来するというのは、われわれ日本人には理解が難しい。AI研究者のなかには、そんな議論など滑稽だという者さえいる。だが、カーツワイル、テグマーク、ボストロムはいずれも超一流の秀才であり、彼らの著書は多くの人々を魅了し、その議論をもとに巨大な研究予算が動いているのだ。一体なぜなのであろうか？

［★10］同右訳書、59頁、551頁
［★11］同右訳書、551頁
［★12］同右訳書、271頁
［★13］同右訳書、557頁

――実はこの点について考察を加え、ＡＩという思想の核心を剔抉《てっけつ》することがきわめて大切である。この点を無視してＡＩの技術的／経済的な効果だけに注目していると、いつしかトランス・ヒューマニズムのもたらす偽－情報学的転回の歯車に絡めとられてしまうであろう。

トランス・ヒューマニズムは、コンピュータ技術とバイオ工学を組み合わせたビジョンを語るので、ここ半世紀くらいの間に出現したように思われがちだ。だが実はその底流には、西洋の古い宗教的伝統がひそんでいる。端的には今のトランス・ヒューマニズムとは、宇宙全体が時間とともに進化発展していくという、深遠な宇宙進化論の現代版といっても過言ではない。ここでただちに「ロシア宇宙主義」と呼ばれる、19世紀ロシアのキリスト教的な宇宙思想が想起される。ロシア（旧ソ連）といえば、優れたＳＦ作品を生んできた文化的土壌をもつところだ。カトリックやプロテスタントは原則として政教分離だが、昔のロシアは皇帝教皇主義で権力一極集中であり、それゆえ宗教的理念が社会的な統御改革と結びつきやすい。こうしてユートピア建設が語られることになる（この点について拙著『情報学的転回』の第五章でふれたが、より詳しくは、セミョーノヴァ『ロシアの宇宙精神』［★14］などを参照）。

ロシア宇宙主義者の具体的な例として、ここでニコライ・フョードロフという宗教家・思想家に注目してみよう。科学技術をふくめて百科全書的な驚くべき記憶力をもち、トルストイと親交があり、ドストエフスキーにも影響をあたえたというこの人物が唱えたのは、「能動進化論」というものである。これはいわば、ダーウィン進化論のキリスト教的解釈と言ってもよいであろう。フョードロフは、地上の世界がキリスト教的、道徳的に進化していくと見なしていた。かつて西洋では、神が一挙に万物を創造されたと信じられていたが、やがてダーウィン進化論が浸透するにしたがって、19世紀後半には、昔の低級な生物から次第に高級な生物が生まれてきたという考えが主流となりつつあった。そして人間は動植物のトップランナーであり、もっとも高級な生物だということになる。だからこそ、人間は進化という大目的のため、連帯して行動し、積極的に努力する使命に献身すべきだと、フョードロフは説いたのである（なお、現在の進化生物学では生物種について高級だとか低級だとかいうランクづけはしないが、一般の現代人のなかにはまだそういう見解をもつ者も少なくない）。

能動進化論は神秘主義的だが実践的でもあった。人間は、科学技術を活用し、みずからを高めていかなくてはならない。宇宙空間にも積極的に進出することが望ましい。さらに大切なのは、より進化した存在、いわば「神人」のようなものを創出することである。これは人間が不死になるということでもある、というわけだ。科学技術で不死になるとは、何とも、カーツワイルのマインド・アップローディングと酷似しているではないか。

とはいえ、現代のトランス・ヒューマニストたちと違って、フョードロフの能動進化論には名誉や金銭とからんだ世俗臭はまったくない。貴族の庶子として生まれたフョードロフは、図書館の司書だったが、給料はみな貧しい人々に分け与えてしまい、一生を通じて妻帯もせず、死ぬまできわめて質素で禁欲的な生活をおくった。熱心にキリストの愛をとき、共同で理想郷建設を呼びかけるこの人物は、人々の尊敬をあつめ、聖人と慕われたという。

このように、トランス・ヒューマニズムの淵源には、善意にみちた理想主義がある。にもかかわ

［★14］スヴェトラーナ・セミョーノヴァ『ロシアの宇宙精神』西中村浩訳、せりか書房、1997年

らず、なぜ、またいかにして、現代のトランス・ヒューマニズムはわれわれを抑圧する偽‐情報学的転回の危険をはらむのであろうか。フォードロフがもっていたキリスト教信仰という基軸が、今日では脱落してしまったからなのであろうか。理想主義の希望と一体だからこそ、トランス・ヒューマニズムは強く人々を惹きつける。だが信仰心の衰えと世俗的な資本主義的欲望の暴走がもたらすのは、理想主義の甘い顔をした巧妙な支配という悪夢なのである。

そのあたりにメスを入れるために、イスラエルの歴史家ユヴァル・ノア・ハラリの議論に着目してみたい。ベストセラーとなった著書『ホモ・デウス』［★15］は、いわば現代のアポカリプス（黙示録／終末論）と言ってもよい。これを読むと、ＡＩやロボットが活躍する近未来の人類社会のもつ陰鬱な側面がはっきりと眼前に浮かんでくるのだ。

『ホモ・デウス』は、テクノロジー進歩主義者だけでなく一般の人々の大変な関心を集め、「ハラリ現象」という言葉さえ生まれたほどなので、あらためて詳しく内容を説明するまでもないであろう。ともかく、該博な歴史的知識を駆使して、鳥瞰的に眺めたマクロな人類史をきわめて分かりやすく、しかもクールな筆致で述べている。「デウス」とは神のことで、人間がテクノロジーの力で近未来に全能の神に近づくといったニュアンスがある。といっても、それはＡＩなど先端コンピュータ技術やバイオ工学の恩恵にあずかれるごく一部のエリート階級だけにすぎない。大半の人々は、先端テクノロジーの圧倒的支配のもとで、雇用を奪われ、何の役にも立たない無用者階級におちぶれてしまう。なぜなら、ＡＩやロボットが人間よりはるかに有能になるからだ。無用者階級も、テクノロジーのおかげで進歩した治療をうけられるなど、少しはよいこともあるかもしれないが、社会的格差の途方もない拡大とともに、尊厳と自信が崩壊して生きる価値を見失っていく。

したがって、『ホモ・デウス』は一般の多くの人々にとって、ニヒリスティックな終末論のもつ暗い魅惑をたたえた「予言の書」と言うほかはない。ただし、ハラリはくりかえし、自分は予言者ではなく、単に人類史をふりかえって一つの選択肢を描きだしたのだと語っている[★16]。確かに、マクロな歴史をふりかえり、人間をしのぐ先端テクノロジーがつくりだす未来図を描くという点では、ハラリはトランス・ヒューマニストのように見える。しかし、よくあるトランス・ヒューマニストとは異なり、そういう未来に憧れて礼賛しているわけでは決してない。この点は注意が肝心である。「私たちにはブレーキは踏めない」[★17]という言葉に象徴されるように、暗い未来にどうしようもなく向かっていくわれわれ人間にたいし、むしろ警告を発していると考える方が適切なのだ。厳格な菜食主義者であるこの人物は、人間はもちろん家畜化される動物にも同情心を寄せ、地上にあふれる苦悩の削減を願う理想主義者なのであろう。高い倫理性をもつ思想の持ち主という点で、フョードロフとも共通点があると考えられる。

では、21世紀に生きるわれわれにとって、ハラリの描く暗い近未来という選択肢は必然的なものなのか。ほかに選択肢はないのであろうか。ハラリの議論にしたがうと、これまでの歴史の流れから、他の選択肢はたやすく見つからず、暗い近未来は必然的なもののような感じがしてくる。少なくとも『ホモ・デウス』には他の選択肢は示されていない。にもかかわらず本書では、ハラリの願望を引き受けて、別の選択肢の可能性を模索し、次章でその方向性の概略を提示しようと試みるの

[★15] Harari, Y. N. *Homo Deus*, opt. cit., 2016.［『ホモ・デウス　上下』、前掲、２０１８年］
[★16] 同右訳書、上巻、76頁
[★17] 同右訳書、上巻、69頁

である。そのためにもまず同書に即して、ハラリの終末論の核心的な部分について以下、要約してみよう。

約七万年前の認知革命によって、人間は言語的な想像力を獲得した。そして共同主観的に「物語」をつくり、その虚構のもとで協調行動をおこなうことで地上の強者となったのである。約一万二千年前に始まる農業革命の後、それまでの狩猟採集生活から定住生活に移行し、動植物を支配するようになった。やがて神の権威が高まり秩序ある広い王国が建設できたのは、約五千年前の書字革命のおかげである。ついで、約五〇〇～三〇〇年前の科学革命によって、神の代わりに人間が主人公となる「人間至上主義（humanism）」が出現した。これは、権威の源泉が神から人間に移ったことに他ならない。そこでは個々の人間の経験や実証が尊重され、とりわけ民主制国家の自由主義社会では、個人の人権遵守と自由意思のもとで、市場が重視され経済成長がすべてに優先するようになった。こうして、20世紀末には、地球環境汚染や核兵器といった危険を抱えこんだにせよ、個人の命と情動と欲望が肯定され、神聖視される時代が到来したのである。

ところが、今や大きな変動が生じ、新たな物語が登場しつつあるのだ。21世紀になって、インターネットが普及し、ＡＩやバイオ工学が急速に発達している現在、人間自身がつくった科学技術の進歩によって人間至上主義が脅かされるという皮肉な事態になっている。脳科学は個人の自由意思の存在に疑問をなげかけた。よく分析すれば人間の経験と記述のあいだには食い違いがあるし、「無矛盾な単一の自己」などありはしないのだから、自由意思に疑念が突きつけられるのも当然だ。生物の体内にあるのは生化学的アルゴリズムだけではないのか。実際、生命科学は生物と非生物を隔てる壁を取り払い、生物の本質とはアルゴリズムであり、データ処理手続きなのだと主張している。

アルゴリズムは機械的に実現できるから、このことは人間至上主義の基盤を突き崩してしまう。人間がつまりはデータ処理システムだとすれば、コンピュータが人間より優れた知能をもつことにまったく不思議はない。AIが人間のような意識（心）をもつことは難しいにせよ、政治経済的には、知能を意識から分離するというアプローチもありうる。現在のAIは、人間がとうてい扱えないほど膨大なパターンを超高速で分類し、識別し、統計的にデータ処理することができる。だからAIによって社会的効率は上がるし、人間はその判断や決定にしたがうようになるであろう。だいたい、人間そのものが行動や体調などの諸測定データの集合体だとすれば、AIのほうが本人より何をすべきかよく知っているのも当然だ。こうして結局、人間至上主義に代わる新たな物語が出現してくる。それは「データ至上主義（dataism）」という社会的価値観、いやむしろ「データ教（The Data Religion）」とでも呼ぶべき、新たな宗教に他ならない。テクノロジーがデータ教の信者たちをいかなる地獄に送りこむにせよ、である。

5・4　情報圏という罠

以上述べたようなハラリの近未来論は、端的には「人間コンピュータ論」に他ならない。そこでは人間とはアルゴリズムであり、データの集積体と見なされている。アルゴリズムの典型はチューリングがつくった論理計算モデルだ。要するに、データ至上主義／データ教は完全にコンピューティング・パラダイムにもとづいており、基礎情報学とは真っ向から食い違う。とはいえ、だからこそ、基礎情報学の議論から新たな近未来選択肢への道が見えてくるはずなのである。

ハラリの近未来論を問い直すとき、最大の論点は、情報のもつ「意味」の扱いである。人間は想像力によって物語（虚構）をつくりあげ、それをベースにして活動する動物だというのがハラリの根本的な主張に他ならない。物語のなかには種々の古典宗教もふくまれるし、近年では共産主義や新自由主義などもその代表である。この指摘はもっともだが、ここで物語とは、一種の社会的価値観であり、基本的には、個々人の主観世界が集まって形成される共同（間）主観的な意味構成物のはずだ。つまり、物語は共同体における人々のコミュニケーションから織り上げられるのである。とすれば、それは根源的に、人間の身体が創出する「意味」、すなわち生命情報に根差している。

本書でくりかえし述べてきたように、本来の「意味」とは、自律的な生物が生きていくためにリアルタイムで生みだされ続ける存在に他ならない。人間の心的システムが生命情報を記号化して社会情報とし、それらの交換が物語をつくりあげる。とすれば、はたして他律的な機械であるＡＩが物語を理解できるのであろうか。ここにハラリの主張するデータ至上主義の最大の理論的弱点がある。

コンピュータという機械が処理できるのは、意味が捨象された機械情報、つまり「データ」に限られる。ＡＩはデータを高速処理できるが、物語の意味を理解不可能なので、データ教において主体的に司祭の役割を演じることは決してできない。ある人物についていくら大量のデータを集めたにせよ、ＡＩがその人物の内面的人格を洞察し、真に信用して付き合える人物かどうかを「知る」ことなど可能なはずはないのである。せいぜい、これまでの行動データなどの資料を精査し比較して、判断用の基礎資料を作成するくらいが関の山である。むろんそれは有用であろうが、人間のもつ意味／価値の基軸をもたない以上、データ教の神に決定権を与えることは不適切なはずだ。

ハラリの誤解を招いた責任の一端として、AI専門家の無自覚な言動を指摘しておきたい。AIの自然言語処理では確かに「意味解析」なるものがおこなわれている。だが、AIが実行する文章の意味解析とは、たとえば、辞書のなかに幾つかの選択肢があるとき、文章の意味内容のもつイメージから選ぶのでなく、単語同士の修飾関係を統計的に分析して選ぶ、といったものだ。また、深層学習によってAIが画像の「意味」を理解したと勘違いしているAI専門家も少なくないが、これも誤っている。巧みに猫の画像を識別できるAIプログラムがあるとしても、それはただ、イヌや自転車など他の画像から分類できるだけで、「ペットとしての生きた猫」という言語概念を把握しているわけではない。子猫の愛らしい仕草の想い出などとは無縁である。言語概念はあくまで人間の共同体がつくりあげる「物語」から決まるのだ。いくらAIの機能が増しても、その処理は本来、統辞的（syntactic）なものであり、意味的（semantic）なものではないのである。

ハラリだけでなく、カーツワイルにせよ、ボストロムにせよ、大半のトランス・ヒューマニストはいずれも、「コンピュータが意味を扱えない」という点を正面からきちんと考察しようとはしない。それゆえ議論はたちまち飛躍し、迷走し、説得力を失ってしまうのだ。この問題については後述するが、本章では、選択肢を検討するにあたって、少し違った角度からアプローチしてみよう。はたして、「コンピュータが意味を扱えない」という前提の上で、トランス・ヒューマニズム的な議論を展開できるのか、という問いである。もし可能なら、それはどんな近未来像をもたらすのであろうか。

ここで注目されるのはルチアーノ・フロリディである。情報技術に通じたオックスフォード大学のフェローであり、情報倫理を専門とした哲学者として国際的に名高い。この人物はトランス・ヒューマニストだが、カーツワイルやボストロムらとは異なり、いわゆる超知能をもつ単体の汎用ＡＩが出現するという夢想を鼓吹するわけではなく、現行の専用ＡＩをうまく組み合わせることで、事実上、ＩＣＴ（情報通信技術）が人間をしのぐ能力をもつという近未来論を展開している。したがって、より足が地についた議論として、ＩＣＴ専門家のあいだでの信頼度はなかなか高い。議論の概要は著書『第四の革命（*The 4th Revolution*）』［★18］にまとめられている。人類はこれまで、地動説を導いたコペルニクス革命、動物と人間の連続性を実証したダーウィン革命、ついで精神における無意識を明かるみに出したフロイト革命という三つの革命を体験してきたが、いま進行しているのが第四の情報革命であり、これに注目せよというわけだ。

これら四つの革命は、ハラリのいう科学革命の中身を四分割したようなもので、言ってみれば近代的な人間観／世界観の変遷をあらわしている。情報革命によって、われわれ人間は、「情報圏（infosphere）」と呼ばれる多様な情報環境のなかに住まうことになる、というのがフロリディの主な主張である。ポイントはつまり、われわれを取りまく「現実」そのものが「情報」と一体化する、ということだ。平たく言うと、フロリディは第四の情報革命によって、物理的な現実世界がデジタルな仮想世界と溶けあっていく、いやむしろ前者が後者のなかに吸収されていく、といったイメージを抱いているのである。

しばらく以前からＩＣＴ関係者のあいだでは、「ＣＰＳ（Cyber Physical System）」という考え方が流行している。そこには、ＩｏＴ（Internet of Things）技術をもとに、物理的な現実世界とデジタル仮想世界を統合し、それによって産業の高度化を達成しようという目論見が感じられる。フロリディのもつ世界イメージはこのＣＰＳに近いものと言ってよい。フロリディは、今や人類が、先史（プレヒストリー）と歴史（ヒストリー）の時代を乗り越え、超歴史（ハイパーヒストリー）の新時代に突入しつつあると説く。このあたりは、カーツワイルやボストロムなど他のトランス・ヒューマニストの議論と大同小異である。

ただし、肝心なのは、フロリディが、ＡＩをふくめＩＣＴによっては情報の意味解釈は不可能だと断言していることなのだ。機械の思考可能性をはかるチューリング・テストについても否定的である。フロリディは明確に述べている、「現在の技術は、セマンティックス（意味論）に立ち入れないために、実際にはどんな意味のある情報も処理することができない。つまり、操作するデータの意味や解釈を処理できない」「現在のコンピュータは、解釈されていないデータのみを扱い、決して有意味な情報は扱えない」「データは物理的な違いや同一性のパターンでしかない。どんなに処理されようとも、データは解釈されるわけではなく、そして解釈されないままなのである」と[★19]。

ハラリが言うように、われわれ人間が「物語」という共同（間）主観的な意味の世界に住んでいることは確かだ。とすれば、意味を処理できないＩＣＴが中心的な役割を果たす超歴史時代のありさまは、一体いかなるものなのであろうか。普通に考えれば、ＩＣＴの意味処理が不可能なら、データ至上主義などとても実現できないはずではないか。

ここで、フロリディの議論において決定的な価値観の逆転がおこなわれていること、ゆえにその「情報圏」には巨大な罠がひそむことに気づかなくてはならない。

［★18］Floridi, L. *The 4th Revolution*, Oxford Univ. Press, UK, 2014.［春木良且＋犬束敦史（監訳）『第四の革命』新曜社、２０１７年］
［★19］同右訳書、１９４〜１９６頁

フロリディが着目するのは人間と技術の関係であり、技術を一次技術、二次技術、三次技術に分類する。昔の人間は、鋤などの技術を使って直接自然にはたらきかけていた。これが一次技術である。次の二次技術は、たとえば洗濯機のように、人間がモーター技術を介して用いる技術だ。そして、第四の革命の後に出現する三次技術においては、人間の介入はもはや不要となる。コンピュータなどのＩＣＴ、具体的にはＡＩが、人間との相互作用なしに、みずから他の技術に直接はたらきかけ、情報圏を発展させていくというのである。

フロリディは次のように述べている。「ＩＣＴは、自律的にデータを適切に処理することができ、したがって自身の行動に責任を持つ」「知的で自律的なエージェントは、もはや人間である必要はない。三次技術に完全に依存したハイパーヒストリー社会においては、原理的に人間に非依存となるのである」［★20］と。だが第Ⅱ部で詳述したように、自律性や責任といった概念は人間の意味解釈の能力から生まれるもののはずだから、この主張には首をかしげる他はない。

ところがフロリディはここで、人間に奇妙な役割を与えるのである。それは人間が「情報有機体（inforgs）」になる、ということだ。情報有機体とは何であろうか？――それは「意味解釈エンジン（semantic engine）」に他ならない。情報圏においては、ＡＩをはじめとする機械が人間に、意味解釈エンジンとして働くように指令するのだ。こうして人間はついに、ＩＣＴシステムの一部をなす機械的な部品に格下げされてしまうのである。具体的にはたとえば、複雑な文章の機械翻訳をする際、文脈に応じた適切な訳語を選択するためにＡＩから問い合わせがあれば人間がアシストする、といったところであろうか。そこには、情報の意味というものが本来、生物の根源的な生活や価値と結びついているという自覚はきわめて乏しい。

情報圏において主導権をとるのは、人間よりデータ処理能力の高いＡＩをはじめとするＩＣＴエージェントであり、人間はたかだか、処理の効率や精確性を向上させるための補助部品として位置づけられる。われわれ人間は、ＡＩを操作できるごく一部のエリートをのぞき、生活のすべてを細かく管理され、監視するＡＩから指令をうけ、あくせくと死ぬまで労働することになるのだ。さらに肝心なのは、こういった情報圏で指令をくだすＡＩは、超知性をもつ未来の汎用ＡＩでなく意味解釈能力のない現行のＡＩの組み合わせで十分だから、偽‐情報学的転回による情報圏の到来はもう間近に迫っている、という点なのである。偽‐情報学的転回による情報圏の到来はもうすぐなのだ。

ハラリのいうデータ教では、ＡＩは神のように崇められるにせよ、人間はまだ物質の作用する物理的世界の住人として生きている。だが、フロリディの主張する情報圏において、物理的世界は副次的な存在にすぎなくなってしまう。重要なのはデジタル情報からなる仮想世界なのであり、人間はそこでみずからを、コンピュータ・システムの要素である情報有機体／意味解釈エンジンと見なすようになるのだ。生身の身体をもって一回かぎりの人生をおくっているわれわれ人間も、すべてデータとその処理系と化してしまう。これこそまさに、「データ教原理主義」とでもいうべき、さらに過激な宗教ではないか。

哲学的に言えば、フロリディの議論は、典型的なデジタル還元主義にすぎない。デジタルな存在論においては、宇宙／世界における個々のあらゆる事物が客体的事物としてコンピュータによる計

［★20］同右訳書、42頁

算の対象となる。あらゆる事物をデジタル化できるものとして理解する見方は、ハイデガー流の実存哲学者から「デジタル形而上学」として批判されている[★21]。宇宙／世界の全体が神的な論理（ロゴス）のもとで整然と構成されているという思想が西洋の古典的形而上学とすれば、この批判はきわめて納得のいくものではないであろうか。

5・5 この国のＡＩアプローチ

トランス・ヒューマニストたちの主張は、ユダヤ＝キリスト一神教の伝統をもたないわれわれ日本人には同調しにくいところがある。生きているわけでもない物質のなかに超越的な知性が宿り、それに人間が奴隷のように従うという未来図は、ＳＦオタクでもなければ違和感をもつはずだ。とはいえ、短期的な経済成長しか頭にない産官学のリーダーも少なくないし、ＣＰＳ（Cyber Physical System）だのソサエティ5・0だのといった宣伝文句につられて、彼らがフロリディの情報圏構想に飛びつく可能性もゼロではない。

偽－情報学的転回の危険の大きさをはかるためにも、ここで日本のＡＩ研究のありさまについて言及しておこう。ただし、自動運転やマーケティングなど各ＡＩ技術の詳細については類書も多いので、本書では論じない。むしろ、一歩踏み込んで、思想的／文化的な文脈から見たときのＡＩアプローチの特色に焦点をしぼることにする。

一般論として、欧米技術の忠実な追随や細かい改良という点では、この国のＡＩ専門家は真剣に努力しており、技術水準もかなり高い。裏返して言えばそれは、輸入技術の域を大きく越えた独自の分野を拓いてはいない、という批判をうける特色でもある。とはいえＡＩ史を振り返ると、海外によく知られた独自のプロジェクトが無かったわけではない。それらの成果の分析を通じて、この国のＡＩ研究の明暗が見えてくるはずだ。１９５０年代後半の第一次ブームのときにはまだ日本にコンピュータ自体があまり無かったのだが、１９８０年代の第二次ブームのときは、「第五世代コンピュータ研究開発プロジェクト」の独自性が光っている。これは、通商産業省（現経済産業省）主導で当時の産官学の英知を結集した、日本のコンピュータ開発史上最大の十年計画プロジェクトだった（短期間ながら筆者も、初期に日立のエンジニアとして参加した）。

ここでいう「第五世代」とは、ハードウェア素子の変化に対応しており、第一世代は真空管、第二世代がトランジスタ、第三世代が集積回路、第四世代が（大規模）集積回路ということになる。世代が変わるごとにコンピュータの処理能力は飛躍的に向上してきたわけだが、第五世代コンピュータは単なる量的増大ではなく、質的な進歩をめざしていた。当時、ジャパン・アズ・ナンバーワンと言われたように、日本の経済力が最高潮だったこともあり、欧米に先駆けてまったく新しいタイプの「人間のようなコンピュータ」を創造しようという野心がそこにはあった。つまり、「人間の言葉を理解し、人間とコミュニケートしながら問題を解決するコンピュータ」の開発が目標とされたのである。

確かにそんなコンピュータがあれば便利であろうが、これまで述べてきたように、機械は言葉（社

［★21］ Capurro, R. Towards an ontological foundation of information ethics, *Ethics and Information Technology*, 8(4), Nov. 2006.［竹之内禎（訳）「情報倫理学の存在論的基礎づけに向けて」、西垣通＋竹之内禎（編著訳）『情報倫理の思想』ＮＴＴ出版、２００７年、所収

会情報）の意味をとらえられないし、まして人間との真のコミュニケーションなどできるはずはない。では具体的には、いかなる目標が立てられたのであろうか。それは「並列推論マシン」の開発に他ならなかった。

考え方は単純明快である。まず、知識命題をたくさんメモリに記憶しておく。解決すべき問題が与えられると、関連のある知識命題群を検索し、それらの論理的関係から答えを推論して出力する。これだけなら従来のコンピュータでも可能だが、医療診断にせよ、法的推論にせよ、知識命題は膨大でそれらを検索するのは大変だし、論理的相互関係も複雑である。したがって、チューリング・モデルにもとづく従来の直列型／逐次実行型のコンピュータでは効率が悪い。並列に実行すれば処理速度は上がるはずだ。さらに、従来のコンピュータでは、知識命題の論理処理を、0／1デジタル信号の基礎的演算による機械語プログラムにソフトウェアで変換してから実行していたが、これも効率が悪い。人間が命題を論理式で直接入力する論理プログラミング方式とし、これを専用ハードウェアで直接実行するほうが、効率はずっと上がるであろう。第五世代コンピュータの並列推論マシンとは、そういう技術を実現するコンピュータだったのである（第五世代コンピュータの技術と文化的背景については、拙著『ペシミスティック・サイボーグ』［★22］を参照していただきたい）。

このような並列推論マシンは、従来の逐次実行型マシンから一歩踏みだす発想であり、実現のためのハード／ソフトの技術的課題は山のようにあった。十年間でともかく実現までこぎ着けた開発チームの努力と工夫は賞賛に値するし、到達した技術水準は見事なものである。にもかかわらず、完成した並列推論マシンはほとんど実用に供されることはなかった。巨額の税金と多くの優秀な人材を投入したあげく、残念ながら失敗プロジェクトと位置づけられてしまったのである。一体なぜであろうか？

——1990年代以降のコンピュータ・システムの姿から、理由は一目瞭然であろう。真の新世代（第五世代）コンピュータは、並列推論マシンとは正反対のマシンだったからだ。つまり、大量生産のシンプルな論理チップからなる安価なパソコンやワークステーション、またそれらを結ぶインターネットである。技術の重点は高度な論理処理メカニズムではなく、人間の使いやすいGUI（Graphical User Interface）におかれている。要するに、「人間のように思考する単体コンピュータ」ではなく、「人間たちの思考を組み合わせるコンピュータ・ネットワーク」が主役となったのだ。2010年代になり、ウェブ2・0が普及してから一層その傾向は強まったのである［★23］。

日本の第五世代コンピュータ研究開発を率いた首脳陣は、なぜ致命的な誤りをおかしたのであろうか。冷静に分析すれば明らかである。「人間のようなコンピュータ」をつくると広言しながら、実際には「情報の意味やコミュニケーション」という難問と正面から向き合うことなく、単に、並列処理によって技術的な効率向上をめざしただけだったからだ。再三くりかえすが、そもそもチューリングやフォン・ノイマンの発明したコンピュータという機械の文化的背景には、西洋の古典的な形而上学があった。宇宙／世界は、フレーゲの述語論理で記述でき、ゆえに論理命題を形式操作すれば正解（真理）が導出できるという信念が、論理演算機械であるコンピュータを生みだしたのである。そういう一神教的な信念がはたして現実の問題解決に有効か否か、という点をきちんと洞

［★22］西垣通『ペシミスティック・サイボーグ』青土社、1994年、第8章。なお、第五世代コンピュータの概要は、拙著『ビッグデータと人工知能』、前掲、2016年、を参照。

［★23］西垣通『ウェブ社会をどう生きるか』岩波新書、2007年

察することなく、西洋由来の技術思想を表面的にそっくり輸入し、愚直なまでに効率向上／性能改善に向けて邁進した結果、日本の第五世代コンピュータ・プロジェクトは完全に失敗してしまったのだ。

日本のＡＩ研究者たちは優秀で誠実だし、細かい技術的独自性ももっている。だが、ソサエティ５．０といった標語をかかげて新時代を切り開いていくためには、トランス・ヒューマニズムをふくめ欧米由来のＡＩの根本思想を批判的に理解し、具体的な技術開発につなげていく想像力を持たなくてはならない。最大の問題点は、そういう自覚もなく、反省もしないことだ。ＡＩ研究者のなかには、第五世代コンピュータの失敗は十分なデータが無かったせいだ、などと見当はずれの主張をする者もいる。こういう不見識は、現在なお第一線の研究開発の現場ではびこっているのである。

日本のＡＩ研究の弱点を示す証拠として、近年の第三次ブームとともに実行されたもう一つのプロジェクトを例にあげておこう。それは「東ロボくん」という愛称で知られる、大学入試問題を解くＡＩの開発プロジェクトである。２０１１年から国立情報学研究所を中心に、多くの企業や大学の俊秀が参加して研究がおこなわれ、２０２１年度の東京大学入試を突破するＡＩの開発が目標とされた。

はたして東大合格者が本当に賢いかどうかについては、異論も多いであろう。だが分かりやすさも手伝って、一時はマスコミの大きな注目を浴びたものである。当初は十年計画だったが、突然、２０１６年に中止されてしまった。せっかく開発したものの、東ロボくんの実力では東大合格はできそうにない、というのが中止の理由である。一体なぜそんな無残な結果に終わったのか、プロジェクト・リーダーだった新井紀子の著書『ＡＩ vs. 教科書が読めない子どもたち』〔★24〕をもとに簡単に振り返ってみたい。

東ロボくんの受験科目は、国語、英語、数学、世界史、物理など五教科八科目である。初めはなかなか高得点をとれなかったが、徐々に向上し、２０１６年の進研模試では９５０点満点で全国平均を87点も上回る好成績をおさめた。これは偏差値５７．1で、日本の七割の大学で合格率80パーセントに対応する成績だったという。いわゆる有名私学（ＭＡＲＣＨや関関同立など）〔★25〕の合格ラインは全受験生のうち上位約20パーセントに対応するが、東ロボくんの成績はおよそそのレベルに達したのである。こうして世間の人々は東ロボくんを「有名私学に入学できるくらい頭がいい」と見なし、やがて東大入試を突破するのではと期待した。しかしプロジェクト首脳部の考えは違った。２０１６年11月、これ以上改良をつづけても、東大などそれ以上の偏差値の難関大学の合格は無理だと判断し、プロジェクトは道半ばで挫折してしまったのである。

具体的には、選択式の設問には何とか解答できても、記述式の問題で高得点をとるのは困難だというのが、判断の根拠だった。確かにその通りであろう。東ロボくんは問題文の意味をほとんど理解することができない。統計処理と論理処理を組み合わせ、データベースから関連データを検索して解答をデッチあげるだけなのである。だから数学の問題でも、数学事典に載っているような難しい方程式は解けても、小学校レベルの応用問題は苦手なのだ。まして、長文の英文和訳だの和文英訳だのは難しいし、現代国語文の精確な読解も不可能に近いはずだ。似た文章をデータベースから

〔★24〕新井紀子『ＡＩ vs. 教科書が読めない子どもたち』東洋経済新報社、２０１８年
〔★25〕明治、青山学院、立教、中央、法政は「ＭＡＲＣＨ」、関西、関西学院、同志社、立命館は「関関同立」と呼ばれる。それぞれ関東と関西の有名私立大学である。

検索しても、当たる確率は小さい。昔から東大の入試問題は記述式が多いから、撤退の決断自体はうなずける。

さて、ここで注意が必要である。いったい「東ロボくんの知能は有名私学レベルで、もっと偏差値の高い超一流大学レベルには達しない」という評価は妥当なのか？――ここで大きな疑問が生じる。有名私学の入試では選択式問題が中心、東大入試では記述式問題が中心だというのは、入試制度の違いであって試験の難易度とは無関係である。有名私学では受験生の数にくらべて教員スタッフの人数が相対的に少なく、短期間で採点を終了しなくてはならないので、やむなく選択式問題を出しているだけの話だ。教員として明治大学と東京大学の入試実務に携わった経験から、筆者はそう断言できる。

もし文部科学省が補助し、大半の大学入試問題が記述式に移行すれば、東ロボくんの偏差値はたちまち急落するであろう。入試問題とは本来、入学した人間が学ぶ際の前提である基礎知識や思考力を試すためのもので、絶対的な知能を測定する存在ではない。さらに受験生は持込不可が原則で、巨大なデータベースを自由に検索できる東ロボくんとは条件が違いすぎる。両者を比較して、いったい何が得られるのか、よく省察が必要である。

そもそも、東ロボくんプロジェクトの意図や目的は何だったのであろうか。マスコミうけする目立ちやすいプロジェクトを看板にして国家予算を獲得する、といった俗っぽい動機を除外すれば、プロジェクトの目的を理解することはきわめて難しいのだ。「ＡＩの限界を見極めるため」といった素人向けの主張は通用しない。なぜなら、「ＡＩには常識もなく、文章の意味が分からない」ということは、第一次／第二次ブーム以来、ＡＩ研究者の間ではよく知られた事実だからである。情報の意味解釈の不可能性は、フロリディや筆者だけが指摘したＡＩの限界ではない。とくに欧米では１９８０年代、ＡＩ研究者や哲学者から多くの疑問が提出され、議論が闘わされてきた。たとえば、テリー・ウィノグラードの名著『コンピュータと認知を理解する（*Understanding Computers and Cognition*）』［★26］や、ジョン・サールの有名な「中国語の部屋」［★27］の批判をあげるだけでも十分であろう。

したがって、東ロボくんプロジェクトに有意義な意図や目的があるとすれば、その努力の対象は、データベースからの検索データをもとに解答をつくる点取りテクニックではなかったはずだ。入試問題という明確な材料をもとに、情報の意味と思考の相互関係という根本的難問について、もっと徹底的に探究すべきではなかったのか。そうすればＡＩの真の進歩に貢献できたかもしれない。

東ロボくんプロジェクトの若い担当研究者たちは優秀だったし、努力もしたはずだ。さもなければ、進研模試で好成績をとることなど決してできなかったであろう。その努力が徒労に終わったことが惜しまれる。あえて率直に言えば、「東大入試を突破するＡＩの開発」という発想自体に、トランス・ヒューマニズムのもっとも世俗的で権威主義的な暗部がまつわりついている。人間の機械化と序列化という暗部だ。東ロボくんプロジェクトを企画推進した首脳部は、そのことにまったく気づかなかったのであろうか。ただし、このプロジェクトの意義は、学術的ではなく政治的な別の次元にあったのかもしれない。この点については次章で検討することにしよう。

［★26］Winograd, T. and Flores, F. *Understanding Computers and Cognition*, Ablex, NJ, 1986.［平賀譲（訳）『コンピュータと認知を理解する』産業図書、１９８９年］

［★27］Searle, J. Minds, Brains, and Programs, *Behavioral and Brain Sciences*, vol.3, 1980, pp.417-424.

いずれにせよ、二つの国家的ＡＩプロジェクトの足跡は、現在の日本におけるＡＩ研究の正と負の側面をくっきりと浮かび上がらせる。現場担当者の誠実な努力、そして指導陣の見識不足による誤った戦略という、かつての太平洋戦争を連想させる組み合わせである。21世紀のＡＩ時代を迎えるわれわれは、この辺りをよく認識しなくてはならない。

第6章　データ至上主義からの脱出

6・1　情報学と物質科学の違い

基礎情報学のもっとも肝心な主張の一つは、情報学とは、物質を対象とした自然科学や工学の一部ではない、という点である。ゆえにいわゆる理系の科学技術的な方法論だけで議論することはできないのだ。その点で、コンピュータ科学を中心とした従来の情報科学／情報通信工学とは本質的に異なっている。

むろん、情報学という広い分野のなかには、物質科学的な方法論で扱える分野もある。科学技術の方法論は論理と実証から成り立っているが、とくに実証においては測定技術と一体化した定量的議論が中心となる。たとえばメモリ開発などコンピュータのハードウェア技術には物性物理学がかかわるし、ソフトウェア技術においても、情報圧縮など定量的議論がからんでいる。粗っぽく言えば、情報学のなかで科学技術的側面をもつのが情報科学／情報通信工学だと言ってもそれほど見当はずれではない。一方、基礎情報学は情報の知の基礎を語るのだが、その方法論は理系の方法論とは違って、むしろ文系的／非物質科学的な側面をもつのである。

従来、とくに日本においては、情報学というと専ら理系に分類されてきた。だが、基礎情報学はそういう考え方に真っ向から異を唱えることになる。すなわち、「情報」とは本来、科学技術分野のみならず、文系の人文学や社会科学をふくむ多様な領域にまたがると主張するわけだ。

「情報」を、理系の科学技術的視点とは違った視角からとらえた思想家として、文化人類学者のグレゴリー・ベイトソンを忘れてはならない。ベイトソンによる鋭い洞察に満ちた著書『精神と自然（*Mind and Nature*）』は1979年に出版されたが、その先駆性を明瞭に示している[★01]。ベイトソンはこの本を、人間であるわれわれ自身が「生きている世界の一部」だという考えにもとづいて書いたという。つまり、「生物世界と人間世界との統一感、世界をあまねく満たす美に包まれてみんな結ばれ合っているのだという安らかな感情を、ほとんどの人間は失ってしまっている」[★02]という切実な危機感が、執筆の動機だったのである。実際、一部のアート専門家をのぞき、ICTは効率向上のためのもので美とは別次元にあるというのが常識である。

ベイトソンは、クレアトゥラ（生あるもの）の世界をプレロマ（生なきもの）の世界から峻別した。原義はそれぞれ「創られしもの（creatura）」と「宇宙に充満するもの（pleroma）」なのだが、前者は「区切りが引かれ、差異が一つの原因となりうるような世界」であり、後者は「力と衝撃が出来事の原因となる世界」を表すという[★03]。要するに、クレアトゥラの世界とは、パターンの示す意味とコンテクストを中心とした生物の世界であり、プレロマの世界とは物理学をはじめとする自然科学的な世界のことだ。両者の違いを理解するには、道路の向かい側にいる人物をこちらに移動させるために、大声で呼ぶか（クレアトゥラ）、縄で引っ張り寄せるか（プレロマ）、二つの方法があることを想像すれば十分であろう。

大切なのは、ベイトソンが、クレアトゥラの世界では、論理と量にもとづく科学技術的なアプローチは通用しないと考えていた点だ。「論理には自己矛盾を生まずして回帰的な循環を論ずることができないし、量は複雑なコミュニケーション・システムの中では何ら本質的な関わりを持たない」「論理も量も、生物とその相互反応、および生態組織の形成について記述する際の道具としては結局不適格だった」という言葉は、その考えをよく表している［★04］。つまり、いわゆる理系の数理的／物質科学的な議論で情報を扱ってはいけない、ということだ。

さらにここでベイトソンの有名な情報の定義である「差異をつくる差異（any difference that makes a difference）」を想起すれば、ベイトソンが情報と生物の本質的な関係を見抜いていたことも明らかである。つまり、ベイトソンは理系の情報科学／情報通信工学とは違った位相で情報の学問をとらえ、それを機械というより生物のコミュニケーションの学問と見なしていたのだ。このことは、生命情報が本来の情報で、機械情報はそれから派生したものにすぎないという基礎情報学の主張と重なっている。このように、ベイトソンの情報思想と基礎情報学のめざすところはかなり近く、その内容を基礎情報学の先蹤として位置づけることも可能なのである。実際、基礎情報学でも情報の

［★01］Bateson, G. *Mind and Nature*, Brockman, NY, 1979.［佐藤良明訳『精神と自然』思索社、1982年］
［★02］同右訳書、24頁
［★03］同右訳書、8頁
［★04］同右訳書、27頁

（担体の）定義は「それによって生物がパターンをつくりだすパターン（a pattern by which a living thing generates patterns）」［★05］だが、これはベイトソンの情報定義から影響をうけたものだ。

とはいえ、20世紀後半以来、ベイトソンの情報思想は情報学の中心にはなりえなかった。非常にユニークな思想として注目されたにせよ、一種の興味深いエッセーとして読まれたにすぎず、学問体系として確立されることはなかったのである。その最大の理由は、ベイトソンの登場が早すぎたためだ。理論装置として、ウィーナーの古典的サイバネティクスのフィードバック理論や、ラッセルの論理階型理論など、20世紀前半から中葉の議論に頼ったことが、クレアトゥラの世界を記述するには不適切だったのである。とりわけシャノンの情報理論は純粋な量的議論だから、これとの不整合はとくに致命的だった。もしベイトソンが、オートポイエーシス理論をはじめとするシステム理論を熟知し、ネオ・サイバネティクスの研究に加わっていたら、情報学の歴史は変わっていたであろう。（こういった経緯については拙著『デジタル・ナルシス』の第5章に記した［★06］。また、ネオ・サイバネティクスとベイトソンの議論との関連については、橋本渉「システム論における『情報的閉鎖系』概念」［★07］に詳しい。さらに、ベイトソンの情報思想にヒントを得た研究例として、ドミニク・チェンの『インターネットを生命化するプロクロニズムの思想と実践』［★08］という書物がある。）

ベイトソンの主張とはまったく逆に、20世紀後半、生物についての知は「生命科学」として、物理化学法則にしたがう物質科学の一部に組み込まれた。同時に情報という概念も、シャノン情報理論の普及とともに、コンピュータ処理にかかわる概念として理系の自然科学に統合されていったのである。こういう動向をうながしたのは、遺伝子の実体は物質であることを立証したハーマン・マラーのショウジョウバエの突然変異実験や、フランシス・クリックとジェイムズ・ワトソンによる

DNA二重らせん構造の発見だったと言ってよい。これらは、情報科学が生まれた1940〜50年代の出来事である。以後、生物の遺伝や進化がDNA塩基配列に依存することが常識となり、物質科学としての分子生物学が誕生して、いわゆる生気論のような「クレアトゥラの世界の議論」は葬り去られてしまった。

しかし、率直にいってこれは勇み足だったと言える。プレロマの世界にクレアトゥラの世界を強引に押し込もうとしたことが、心の働きはすべて脳の分析に還元できるという心脳同一説(心不在説)をはじめ、シンギュラリティ仮説に代表されるトランス・ヒューマニズム諸説の横行を招いてしまったのではないか。細胞はタンパク質から出来ており、生命活動が物質をベースにしているのは当然だが、それは必要条件にすぎない。コンピュータ・ハードウェアの0／1の信号動作を解析してもそこで動くプログラムの機能はよく分からないのと同様、生物や人間の活動を本当に理解するには、別の次元でのシステム論的な知が不可欠なのだ。ベイトソンの直観は正しかったのである。

ここで一言、断っておかなくてはならない。コミュニケーションにおける意味の扱いがAIにとって困難なことは、ICT研究者なら誰でも知っている。だが、「意味」を強引に物質科学的な「量」

[★05]『基礎情報学』、前掲、27頁

[★06] 西垣通「メタ・パターンを舞い踊る」、『デジタル・ナルシス』岩波書店、1991年(岩波現代文庫。2008年)、第5章

[★07] 橋本渉「システム論における『情報的閉鎖系』概念」東京大学大学院情報学環紀要、75号、2008年、69〜82頁

[★08] ドミニク・チェン『インターネットを生命化するプロクロニズムの思想と実践』青土社、2012年

の分析に帰着させることは可能なのだ。たとえば、アンケートや投票の集計を想起すれば明らかであろう。つまり、言葉や画像などイメージのもつ個別の意味を、統計処理を介して等質化し、データ量に転換することができる。こういう転換こそ、現在の第三次ＡＩブームを引き起こした「ビッグデータの統計処理」というものに他ならない。これによって、文章や画像などの意味解釈が表面上は可能になり、量的処理しかできないＡＩを、データ計算を通じて、科学技術だけでなく人文社会や芸術をふくむあらゆる分野の知的活動に適用する方途が開かれたのである。つまりＡＩを中心としたＩＣＴは、今や実践的に、ベイトソンが危惧したような領域に踏み込みつつあると言ってよい。

この議論は、逆説的に、第４章で述べたガブリエルによる新実在論の説得力の限界を浮かび上がらせるものだ。ガブリエルは物質科学万能主義を批判し、「プレロマの世界がすべてだ」といった浅薄な唯物論を激しく攻撃する。その主張自体はまったく正しい。だが、多様な「意味の場」が並列に存在し、物質科学的な議論はその一つにすぎないというガブリエルの主張は、それだけで物質主義万能の唯物論者を納得させることは難しいのである。彼らはあくまで統一的な世界観を求め、異なる意味の場を区切る境界はどこにあるのかという疑問の声をあげるはずだ。第４章のくりかえしになるが、もしそこでガブリエルが、フィヒテやサールが述べたような「分かちあえる客観知」と「分かちあえない主観知」の二分法を持ちだすなら、トランス・ヒューマニストは前者の優位性を強調し、科学的客観性の追究が真理追究であって、前者が後者を包摂することこそが学問的進歩だと主張するであろう。

したがって別の戦略が必要になってくる。つまり、まずプレロマの世界から出発して、そこから、どうしても異質なクレアトゥラの世界が分離され析出されてくる、と立証しなくてはならない。そしてそれこそが、情報学の使命なのである。

実際、「意味の場」の成り立ちを問うのが基礎情報学だといっても過言ではない。20世紀初頭、量子力学と相対性理論の登場によって、宇宙に存在する本質的な要素は物質とエネルギーだけでなく「情報」であることが明らかにされた。対象物の挙動を俯瞰的な視点から観察記述するのではなく、対象物と観察者との相対的な関係に配慮する必要性が、「情報」という概念の出現をもたらしたのだ。物理学という、プレロマの世界（自然科学）の中核にある学問知から現れたのが「情報」だったから、シャノンの情報理論をはじめ20世紀中葉の情報科学が、論理と量に頼る理系の方法論で情報をあつかおうとしたのは自然な成り行きではあった。だが、だからこそ、論理と量の科学技術的方法論から一歩離れたアプローチで情報という概念をあつかう学問が、21世紀の知の課題となってくるのである。たとえば、「人間（生物）にとって美的経験とは何か」という問いかけも、新たな情報学の領域に入って来なくてはならない。

6・2　ホモ・デウスを拒む

いったい如何にして基礎情報学は、ハラリの予測をくつがえし、ホモ・デウスとデータ至上主義による陰鬱な近未来像を克服できるのであろうか。これはハラリの希望でもあるはずだ。その近未来像の基本的な前提は、（a）生き物はアルゴリズムであり、生命はデータ処理である、（b）知能は意識から分離する、（c）（意識をもたなくても）高度な知能をそなえたアルゴリズムが近々、人間よりも人間のことをよく知るようになる」という三項目（a）〜（c）である[★09]。歴史家であるハラリは、トランス・ヒューマニストやその信奉者である科学技術者の言葉からこういう前提を導いたのであろう。しかしこれら三項目には、基礎情報学の観点から大きな疑問符がつく。

まず、第一項目（a）だが、アルゴリズムとは、チューリング・モデルのような形式的ルールにしたがう直列（逐次）処理が基本形だ。一方、生物の活動は（多細胞生物の場合）半ば独立した膨大な細胞群の並列的な相互作用でおこなわれるから、論理整合的なアルゴリズム体系とはかなり異なる。生物の体内には、自分で自分を攻撃する自己免疫疾患のような、相互に矛盾した諸活動もあるではないか。確かに、生命活動の一部を抽象化し、コンピュータ・モデルで表して分析し研究することは可能だし、コンピューティング・パラダイムの有効性を否定するつもりはない。効率向上のため並列処理をおこなうハードウェアもたくさんある。だが、アルゴリズムによるデータ処理が生命活動のすべてだという議論は、あまりに飛躍が大きく、粗雑すぎると言ってよい。

ハラリの近未来論のような「生物コンピュータ論」は、万物を神のような唯一の俯瞰的視点から眺めた論理的な客観世界（いわゆる素朴実在論）を前提とし、コンピューティング・パラダイムに立脚している。くりかえしになるが、サイバネティック・パラダイムからはむしろ、それぞれの生物（人間）が周囲を眺め、そこから自分にとって意味のあるものを主体的に選びとって構成した多様な主観世界に着目すべきだということになる。視点が違うのだ。一方、われわれが信じている客観世界とは実は、個々の主観世界をコミュニケーションによって組み合わせ、共同（間）主観的につくりあげた物語にすぎない。だから狂信も生まれるし、ノーベル賞をうけた科学的仮説でさえ常に塗り替えられていくのである。

第二項目（b）の意識と知能の分離も、現場の科学技術者にとって納得は難しい。ここでいう知能の代表格は問題解決能力であろう。確かにきちんと問題が形式化されていれば、コンピュータはデータを高速処理して最適解を算出できるし、これも一種の知能ではある。しかし、実際の複雑で錯綜した問題の場合、難しいのは、問題全体をマクロにとらえて複数のサブ問題に分割し、各々のサブゴールを定式化して設定する知能的作業の方なのだ。さらにその分割作業においては、何にどう比重をおくかについて判断が求められる。たとえば、小売店の売り上げを伸ばすという問題を解くとしよう。この際、どの商品をどれだけ仕入れるか、商品の配置はどうするか、どんなアルバイトを何人雇うか、などといったさまざまな異質のサブ問題が出現するが、どれを優先するかについて店長の性格や価値観が反映される。ＡＩにそういう価値判断は難しい。つまり、知能とは、誰が何を達成したいのかという、個人ないし集団の意識と密接に絡みあっており、ゆえに両者をたやすく分離などできないのである。

このこととも関連するが、第三項目（c）の「意識をもたない（ＡＩのような）アルゴリズムが、人間のことをよく知るようになる」は最大の論点に他ならない。これは明らかに、生き物である人間以外に「絶対的な知」をもつものが存在し、その能力が人間をしのぐようになる、というトランス・ヒューマニズムがもたらす思考である。しかし今や、絶対的な知という観念そのものが、人間のつくりだした宗教的な物語の産物ではないかと問い直すべきであろう。

基礎情報学は、絶対的な知など仮定せず、知ろうとする「主体」は誰か、その「視点」はどこにあるのか、に注目する。人間の意識（心）、ないしそれらの集団が、知の主体に他ならない。単に

［★09］『ホモ・デウス』下巻、前掲訳書、２４５～２４６頁

データを集計し、所与のルールにしたがって計算処理するだけでは「知る」ことにはならない。知の主体には、漠然とした未知の対象があることを直観する感覚、また、それについてもっと具体的／明示的に知りたいという欲望をもつ身体が不可欠なのだ。これらをもたないＡＩは知の主体にはなれないのである。

未知の対象とは何であろうか。それは、主体から遠くにあって認知困難なものや、未来の思いがけない出来事などである。たとえば疫病が急速に蔓延して社会が混乱状態に陥ったとき、神ならぬＡＩに半年後の社会や経済の様相を予測することなどできるはずはない。われわれはそのことを、２０２０年に地球上を襲ったコロナ禍によって痛いほど思い知らされたのではなかったか。

ＡＩに可能なのは、社会状況／周囲環境が安定しているとき、過去のデータ群の統計計算にもとづき、近い未来の株価の動きだの観光客の数などを、既知の数学的な確率分布を使って比較的精度よく推測するくらいのことである。コロナ禍のような根本的な社会変動が生じた場合は、分布形そのものが激変するので確率計算で推測しても無駄なのだ。だが、意識をもつ人間は、未知のウイルスの襲来という状況のもとでも何とか主体的に生き延びようと模索し、外出自粛や都市ロックダウンなど工夫をこらす。知とは本来、こういった行動をもたらすものではないのか。

第４章で述べたように、新実在論者のメイヤスーは、世界にある諸々の事実は理由律（原因と結果を結ぶ因果律のような論理）ではなく、「偶然」によって生起すると主張した。これは科学技術者が首をひねるような衝撃的主張だが、ここでメイヤスーが言及しているのは、いわゆる確率分布にしたがう偶然性ではなく、まったく予想できないような出来事の到来のことだと今一度強調しておこう。メイヤスーが前者を「潜勢力（potentialité）」、後者を「潜在性（virtualité）」と呼んで峻別したことはすでに述べた通りだ[★10]。コロナ禍の襲来はまさに潜在性による偶然の出来事であり、潜勢力のミクロな効果を統計計算するだけのＡＩはマクロな予測にはまったく役に立たない。そして、われわれが真に知りたい未知の対象とは、予測不能な潜在性がもたらすマクロな影響の方なのである。意識（心）をもつ人間は、疫病だの地震だの天候激変だのといった、避けがたい潜在性を畏怖し、だがその到来に何とか対処しつつ、模索しながら生きている。ＡＩはせいぜい、人間の知のごく一部を効率化する補助手段にすぎない。

以上述べたように、ハラリの近未来論を支える第三項目（c）も、基礎情報学的には否定されることになる。しかしここで、トランス・ヒューマニストからは異論が出てくるかもしれない。人間は意識をもち、自由意思にもとづいて行動していると思い込んでいるが、より高次元の絶対的な知によってコントロールされている。そのことを知らないだけではないのか、という議論だ。これはまさに西洋古来の形而上学に通じる信念なのだが、その一方、現代の脳科学とも関連している。

われわれの意識の働きが脳によって決定されており、脳は物理化学的法則にしたがって作動しているとすれば、意識のことなど忘れて脳を分析すれば十分だということになる。確かにそういう決定論が成立するなら、自由意思など存在せず、意識にもとづく主体的な知にこだわるのは誤りだ、ということになりそうだ。だが、はたして決定論と自由意思は本当に両立しないのであろうか。

ここで、第４章で紹介した郡司の議論に注目してみたい。郡司は、基礎情報学と共通点の多い内

[★10] Meillassoux, Q. Potentialité et virtualité, *Failles*, n°2, printemps 2006, pp.112-129.［黒木萬代訳「潜勢力と潜在性」、『現代思想』２０１４年１月号、78〜95頁］

部観測論を語る理論生物学者である。その著書『天然知能』において、郡司は「量的な評価・計算主義に対抗する概念」としての独創的な知能モデルを提示している[★11]。つまり、ＡＩとは異なる人間特有の知能のあり方を提唱しており、それを「天然知能」と呼んでいる。これを導くために、郡司は同書第7章で、「決定論と自由意思（free will）は両立する」という議論を紹介する。この両立性は、「自由意思」と「決定論」に加えて「局所性」という第三の概念があり、この三つを同時に満たすことは不可能だが、そのうち二つなら矛盾なく成り立つという「トリレンマ」の議論から導かれる。局所性とは簡単にいえば、「空間的に離れた二つの場所で、一方が他方の情報を、相手に影響を与えることなく知りうる」ということだ。

超越的視点から宇宙／世界を俯瞰できる神にとって、局所性は自明である。一方、限られた視野しかもてない人間はかなり非局所的な存在である。局所性を放棄するとき、決定論のもとでも自由意思を主張できる、というわけだ。なお、空間的な隔たりにかぎらず、「未知の対象を知ろうとすると、対象の状態を乱してしまう」ことだと非局所性を解釈するなら、「情報」という概念が、そもそも非局所性からもたらされたことを想起しておこう（これはいわゆる観察者効果〔observer's effect〕であり、ハイゼンベルクが「不確定性原理」と呼んだものだ）。情報とはこのように、本来、限定視野を前提とするサイバネティック・パラダイムから出発した概念だとも言えるのだ。

非局所性のもとで決定論と自由意思が両立する例として郡司があげるのは、有名な「酋長の踊り」という思考実験である。ある部族には、若者が一人前になるための通過儀礼として、一人でライオンのいる狩場まで二日かけて歩いていき、そこで二日間のあいだにライオンと闘い、その後二日かけて戻る、という風習がある。この部族の酋長は若者が戻ってくるまでの六日間、狩りの成功を祈って踊り続ける。ここで注目すべきなのは、五日目と六日目の踊りである。狩りはすでに終わっているので、最後の二日間は決定論にしたがえば踊る必要はないはずだ。にもかかわらず、狩りの結果を知らない酋長は、自分の踊りが狩りの成功という過去の出来事を因果的に決定できる、という信念のもとに懸命に踊り続けるのである。この信念は部族全体で共有されているのだ。このことは、自由意思というものが人間のもつ一種の「信念」であり、ゆえにそれは、狩りの結果を知らないという非局所性のもとで、決定論と両立することを示している。

ついで郡司はこの思考実験モデルを、人間の意識モデルに重ね合わせる。「意識」とは、自分の自由意思にもとづく意図的行為が周囲世界を変えられると信じている主体である。次に「脳内他者」とは、自分の脳にある身体感覚や無意識の集まりであり、実はこれが意識を決定論的にコントロールしている。だが、意識と脳内他者を隔てる境界（脳内境界）は曖昧でもつれている。さらにまた、自分と他人を隔てる境界（自他境界）も曖昧でもつれている。これら境界の不明確さ／曖昧さが、非局所性に対応している。だから、自分のなかにも、矛盾に満ちた不明瞭な未知のものが宿っているし、他人の考えに共感できても分からない部分があると感じているわけだ。

自分では合理的に意思決定しているつもりでも、体調が悪かったり、過去の想い出がよみがえって感情が高ぶったりして、妙な行動をとってしまうことは誰にでもある。このように脳内他者が意識を決定しているとしても、脳内境界はもつれているから、怒った直後に反省し、冷静な自分を取り戻したりできる。またこの曖昧さこそが、論理だけでなく直観でポイントをとらえ、フレーム問

［★11］郡司ペギオ幸夫『天然知能』講談社選書メチエ、２０１９年

題に悩むことなく常識的判断をくだす能力ともつながってくる。さらに一方、自他境界もつれているから、他人の心の動きを感じたら、過度に知ろうと深入りせず、適当な距離をとったりすることもできる。このように、人間の意識とは、非局所性のもとで、複雑で興味深い作動をする存在なのだ。それは人間の知能の本質なので、いかに脳科学が脳の活動を決定論的に解明したと主張しても、主体的な意識や自由意思がなくなることはない。

郡司の議論の卓抜さは、以上のような、非局所性をもつ平均的な人間の知能モデルを提示しただけでなく、さらに一歩深めた点にある。詳しくは同書を参照していただきたいが、そこではタイプⅠ、Ⅱ、Ⅲの三つの知能モデルが示される。タイプⅠは脳内境界が消滅し、代わりに自他境界が明確となるモデルであり、またタイプⅡは、脳内境界が明確となって自他境界が消滅するモデルである。両者とも局所性は成立しているが、タイプⅠでは自由意思が消滅する。つまり、論理的に精確ではあるが、他人とうまく距離感やコミュニケーションがとれない、「自閉症スペクトラム」的な知能となる。一方、タイプⅡでは、原因と結果を結ぶ決定論が消滅する。つまり、自分が誰かに操られていると思い込む一方、他人も辻褄のあわない勝手な幻想のなかに巻き込んでしまう、「統合失調症」に近い知能となるのだ。そして、局所性のない平均的な人間の知能はタイプⅢということになる。

大切なのは、平均的なタイプⅢモデルだけでなく、タイプⅠやタイプⅡを複合したものが「天然知能」だと郡司が論じていることである。なぜなら、強固な局所性がやや崩れれば、タイプⅠは論理的／科学的な才能、タイプⅡは創造的／芸術的な才能に結びつくからである。つまり郡司は、人間にとって望ましい「天然知能」という意識モデルは、三つのタイプのあいだを自由に動き回るものだと見なすのだ。以上の議論にたいしては異論も出てくるかもしれないが、人間にとっての「知ること」、また、「意識と知能」の精妙で込み入った関係を考えさせる、優れたヒントとなるのではないであろうか。

さらに天然知能の議論に加え、基礎情報学のＨＡＣＳモデルは、自由意思に新たな光を当てる。郡司の議論はもっぱら「個人」の意識（心）についてのものだが、自由意思は「社会」のレベルでも重要である。個々の心的システムは、法律や慣習など社会的制約のもとで作動しているものの、人間は永遠に受け身なわけではない。第3章5節でのべたように、心的システムはプロパゲーションにより上位の社会システムに影響を与え、制約を変えることも長期的には可能なのだ。一方、他律的なコンピュータは、制約の不当さを知り、それを主体的に変えようとする自由意思など持っていない（詳しくは拙著『ＡＩ原論』を参照されたい［★12］）。

6・3　二つのパラダイムの接点

ハラリの懸念とは異なり、ホモ・デウスが君臨し大半の人々が無用者階級におちぶれる社会は、必ず実現するとは言えないことが分かった。三項目（ａ）（ｂ）（ｃ）の前提がいずれも成立しないからである。だが一方、紆余曲折はあっても今後のＡＩの技術進歩が衰えないという点では、「われわれにブレーキは踏めない」というハラリの指摘は正しい。つまり、下手をすると、われわれは

［★12］『ＡＩ原論』、前掲、２０１８年、第四章2節

トランス・ヒューマニストの妄言に惑わされ、偽－情報学的転回を通じて、陰鬱な格差社会の奈落へと墜ちていく恐れは十分あるのだ。とすれば、何とかして上手にＡＩ技術を活用する方途を探さなくてはならない。本節では、そのための原則的な考え方について、基礎情報学の近年の研究をもとに述べることにしたい。

さて、本書では主にサイバネティック・パラダイムの立場から、コンピューティング・パラダイムにもとづくＡＩの限界を指摘してきたが、過去の大量データを高速処理するＡＩの有用性は今さら述べるまでもないことだ。「明日は疫病や地震をはじめ何が起きるか分からない」けれど、われわれは、近い過去の経験にもとづいて現実に生活している。メイヤスーの主張する根源的な偶然性は認めるにせよ、周囲環境のうちに何とか因果関係めいたものを見つけだし、合理的に対処しようと努力しているのだ。社会システムにせよ、心的システムにせよ、自己準拠的／再帰的に作動しているのであり、その作動において近い過去のデータの分析が活用されること自体には何の不思議もない。つまり実際には、ＡＩやロボットが社会の諸局面で活躍する近未来には、二つのパラダイムを上手に組み合わせる賢明さが求められるのである。

はたして両パラダイムの組み合わせはいかにして実現できるのであろうか？——そこには落とし穴もあるので、まずここで、メディア学者ハンセンが提唱した「システム環境ハイブリッド（SEHS: System Environment Hybrids）」に注目してみたい（以下これをＳＥＨＳと略記する）。前述のように、ハンセンはクラークとともに２０００年代末、それまで散在していた新しいサイバネティカルな諸学問を「ネオ・サイバネティクス」という名のもとにまとめあげた立役者であり、すでに引用したアンソロジー『創発と身体化（*Emergence and Embodiment*）』［★13］の編者でもある。この書物に所収された論文「システム環境ハイブリッド」において、ハンセンはＳＥＨＳについて詳述している。簡単にいえばこれは、いわば開放系と閉鎖系の中間的存在である「暫定的（provisional）な閉鎖系」のことだ。人間の代理のような機能を果たすＩＣＴエージェント（具体的にはＡＩロボット）が多用される近未来には、ＳＥＨＳが形成される、というのがハンセンの主張である。そこには、オートポイエーシス理論だけでは、圧倒的な質と量をもつ高度なＩＣＴ機器が周囲環境に導入されていく現代の状況をうまくとらえられないという危惧が感じられる。

動植物は、基本的に遺伝と経験から決まる軌道にそって自己維持的な再生産活動をおこなっているから、ＡＰＳモデルで分析できるであろう。だが、人間は科学技術によって自己を乗り越え、重層的に拡張していく存在であり、その認知世界には機械的知性が介入してくる。むろん、人間の認知世界は基本的にはオートポイエティックであり、システムと環境を隔てる境界によって閉じられている。とはいえ今や、日進月歩のＩＣＴの登場によって境界は多重化しつつあるのではないか。こうしてハンセンは、システムと環境がいわば混交する暫定的閉鎖系、つまりＳＥＨＳが出現しつつあると主張するわけだ。そこでは確かに、二つのパラダイムが共存しているような感じがする。ＡＩ時代の到来とともに、ネオ・サイバネティシャンのなかにもこの議論に賛同する人も出てくるかもしれない。

ＳＥＨＳにおいては、閉鎖性の概念が放棄されるのではなく、むしろより精緻化されていくとハンセンは考える。とはいえ、ＡＩやロボットは本来アロポイエティックな他律的存在であるから、

［★13］Clarke, B. + Hansen, M. B. N. (Eds.) *Emergence and Embodiment*, Duke Univ. Press, 2009.

どうしてもそこには、自己同一性のなかに他者性／異質性が紛れ込んでくるはずだ。このとき、はたして先端テクノロジーを活用して、人間の自己同一性を望ましい方向に拡張していくことができるのであろうか。そこには、動植物と異なる人間は、科学技術の威力によってどこまでも進歩発展していけるのだという、トランス・ヒューマニズムに通底する信念が感じられる。さらには、SEHSのもとでAIやロボットがあたかも主体性をもつように振る舞うなら、一般の人々がその支配下におかれるデータ教の世界さえ招いてしまうのではないであろうか。これはネオ・サイバネティクスの目的とは逆の方向性である。以下、こういった落とし穴を回避する方途について述べていくことにする。（なお、SEHSをめぐる議論について、詳しくは拙論「基礎情報学の射程」［★14］および「暫定的閉鎖系についての一考察」［★15］を参照していただきたい。）

まず、ハンセンの議論は人間中心主義であり、人間とそれ以外の生物との区分を強調しすぎている点を看過してはならない。高度なテクノロジーをもっているのは人間だけにせよ、もし動植物が専ら自己維持的な再生産活動をしているだけなら、生物進化など起きなかったであろう。そもそもオートポイエティックな閉鎖系とは、生物的なものである。フェルスターが二次サイバネティクスにおいて提唱し、APSにおいて精緻化された閉鎖性の概念とは、生物（人間）が周囲世界を認知するメカニズムの明確化から始まった。挙動を予測できる機械的（他律的）存在として生物を外部から研究するのではなく、逆に生物がいかに周囲環境の事物の挙動を予測可能なものにしているかの内部メカニズムを研究すべきだという「視点変更」が、二次（ネオ）サイバネティクスを誕生させたのである。そこへ、「多重境界」や「暫定的閉鎖性」などといって機械的（他律的）存在を不用意に導入すると、ネオ・サイバネティクスの根幹が崩れてしまう恐れがある。

メディア研究者であるためか、ハンセンの議論においては、生物特有の閉鎖性への考察が乏しい。ハンセンにとってシステムの閉鎖性とは、システムと環境のあらゆる区別のなかから、機能的な選択をおこなった結果として出現する性質なのであろう。言うまでもなくこれは、ルーマンの機能的分化社会理論において採用された、コミュニケーションにおける複雑性縮減のための戦略である。とすれば新たな機能とともに中間領域も出現するかもしれない。だが、ルーマンの議論の中心は社会学であり、生命活動をふまえて情報やコミュニケーションを研究する学問ではない。高度化したICTシステム活用のための情報の議論は、あくまで生命システム特有の閉鎖性を遵守して構築しなくてはならないのだ。

SEHSのもつ根本的問題点は、APSの代わりにHACSという基礎情報学のモデルを用いることで解決できる。つまり、心や社会をいずれも同レベルのAPSとしてとらえるのではなく、その間に階層関係を見出し、心的システムの上位に社会システムがあるという非対称的関係を導入することが肝心なのだ。

考えてみると、これは当然のことである。人間はみな、実存主義者が言うように自分の心をみずからつくりかえていく根源的な自由をもっているが、その一方で、構造主義者が言うように社会の制約のもとで生きているからだ。独立したAPSというモデルに固執するかぎり、両者の相互ダイナミックスをネオ・サイバネティカルな観点から論じることは難しい。原島大輔は、この点に着目

［★14］西垣通「基礎情報学の射程」東京大学大学院情報学環紀要、83号、2012年、1〜30頁

［★15］西垣通「暫定的閉鎖系についての一考察」、西垣通＋河島茂生＋西川アサキ＋大井奈美（編）『基礎情報学のヴァイアビリティ』東京大学出版会、2014年、所収

	情報的開放 (informationally open)	情報的閉鎖 (in-formationally closed)
物質的開放 (materially open)	他律的　① (heteronomous)	階層的自律的　④ (hierarchical-autonomous)
物質的閉鎖 (materially closed)	非律的　② (anomous)	自律的　③ (autonaomous)

図5　情報的な閉鎖／開放と物質的な閉鎖／開放によるシステムの4分類
(『基礎情報学のフロンティア』東京大学出版会，p.142より)

した論文「階層的自律性の観察記述をめぐるメディア・アプローチ」[★16]において、HACSモデルの有用性を位置づけ、〝人間＝機械〟複合系における高度なICTエージェントについて洞察を加えた。

原島はまず、自律とは何か、という本質的議論から出発する。自律しているものの挙動を外側の視点から客観的に観察記述することは、それ自体が矛盾をはらむ。内側の視点からでなければ、純粋な自律性はとらえられない。ゆえに、観察記述できる自律システムとは、視点移動をゆるす階層的自律性をもつものでしかありえない、というのがその主要な主張である。この論点は、前章でふれた、内部観測論とオートポイエーシス理論をめぐる生物観測の議論とも関係していると言ってよい。

そういう前提のもとで、原島は、情報的な閉鎖／開放と、物質的な閉鎖／開放とを峻別する。情報的な閉鎖／開放の区分とは、生物と機械の区分ではなく、システム論的な区分のことだ。自己の作動の仕方を再帰的／自己準拠的に構成するのが「情報的閉鎖系」であり、前述したように、構成素が構成素を産出するAPSはその典型である。一方、こういう自己構成的なものではなく、他律系のように他から設計され指令された仕方で機能するのが、「情報的開放系」なのである。また、物質的な閉鎖／開放の区分とは、観察記述者が、物体や信号の交換や通信などの入出力の因果関係や関数関係を把握できるか否か、のことである。換言すれば、観察記述者にとって、挙動が法則にしたがっており予測できるものは「物質的開放系」であり、予測できず意味不明なものが「物質的閉鎖系」なのだ。

こうして、近未来に出現すると思われる〝人間＝機械〟複合系、つまりＡＩやロボットなどの高度なＩＣＴエージェントが人間社会のあちこちで活躍するような周囲環境において、対象を四つに分類することができる。それらは、①他律的なもの（情報的開放かつ物質的開放）、②非律的なもの（情報的閉鎖かつ物質的閉鎖）、③自律的なもの（情報的閉鎖かつ物質的閉鎖）、④階層的かつ自律的なもの（情報的閉鎖かつ物質的開放）、である（図５）。

①はきまった作動をする通常の機械である。②はその作動が不透明性をもつ機械のことだ。高度なＩＣＴエージェント（ＡＩやロボット）は学習するので、しばしば設計者にとってさえ予測困難な挙動をすることがあり、ここに分類されることもある。③は、新型コロナ・ウイルスのような、挙動を予測できない生き物である。そして④は、本質的には自律しているものの社会的な制約のもとで行動している、われわれ人間ということになる。心や身体は本質的に自己構成的であるにせよ、人間の社会的行動はある程度は予測がつき、だからこそ他律的に見える面もあるのだ。

さて、問題は、物質的閉鎖系のもたらす不可知性と情報的閉鎖系のもたらす不可知性とが混同されやすいということである。そうなると、機械の疑似生命化や、人間（生物）の機械化が起こりか

［★16］原島大輔「階層的自律性の観察記述をめぐるメディア・アプローチ」、西垣通（編）『基礎情報学のフロンティア』東京大学出版会、２０１８年、所収

ねない。これこそ、ハラリのいうデータ教のもとでの格差社会をもたらす原因なのだ。観察記述者にとって二つの不可知性の識別はたやすいものではないにせよ、原島は両者を峻別せよと論じる。「非律的なものの物質的閉鎖性に由来する観察記述の不可能性はあくまでも観察記述者の誤謬や知識不足などによる外観的な予測できなさであり、自律的なものや階層的自律的なものの情報的閉鎖性に由来する内発的な計り知れなさとは、識別できる」[★17]というわけだ。そこで原島は、近未来の〝人間＝機械〟複合系においては、「生命と呼びうる機械を目指す」のではなく、「(機械を)コミュニケーションを秩序づけるメディア」として設計してはどうか、と提案するのである。

ここでいう「メディア」とは、記号の伝送範囲を時空に拡大していく伝播メディアというより、むしろコミュニケーションの論理的つながりをもたらす「成果メディア」のことだ。これはルーマンによって導入されたが、第3章で述べたように、基礎情報学では成果メディアは連辞的メディアと範列的メディアに分類される。前者は、コミュニケーションの意味内容について論理的かつ直列的な継起を可能にし、一方後者は、概念分類を用いてコミュニケーションの並列的選択肢を準備する。概念分類とは社会的知識の集まりであるデータベースにおいて実現されているものだ。たとえば、法律知識や医学知識を想起していただきたい。解決すべき問題があるとき、ＡＩはデータベースにアクセスし、判例や症例などの論理命題を検索し、それらを組み合わせて推論したり、データを集計処理して結果を提示したりすることができる。これは、まさに成果メディアとしてＡＩが果たす機能に他ならない。これらはすでに広くおこなわれているのだが、重要なのは、あくまでＡＩがメディアとして人間の思考活動を補助する、という点なのである。

6・4　AI時代の癒し

AIやロボットといったICTエージェントが、「メディア」として人間同士の社会的なコミュニケーションを補助することに関しては、誤謬の問題を別にすれば、あまり異論は出てこないであろう。たとえば機械翻訳は、必ずしも精確な訳でないことさえ承知していれば、外国人同士の交流を盛んにするために非常に有用なはずだ。そこではコンピューティング・パラダイムとサイバネティック・パラダイムがうまく結びつくのである。ただしここで、今一度問い直してみたい。はたして、ICTエージェントが「主体をもつ疑似生命」として人間社会に参加することの問題点は何なのであろうか？——原島が強調するように、AIやロボットは情報的開放系であり、基礎情報学的にはその自律性は否定される。しかし「自律ロボット」とか「人間とロボットの共生」といった言葉はよく聞かれるし、トランス・ヒューマニズムの影響をうけた研究者のなかには、機械と人間の連続性を主張する者も少なくない。またAI時代のICTエージェントに、単なる補助的役割を超え、主体的なパートナーとしての役割を期待するビジネスパーソンの意見もある。さらに、一部には、ロボットが親密な感情的交流によって「癒し」を与えてくれる、という声さえないではない。

たとえば、病気で長期入院を余儀なくされる子供たちは、細菌／ウイルスの感染防止のためにペットと交流することができないので、代わりに病室を訪れるロボットと話をして元気になった、と

［★17］同右論文、『基礎情報学のフロンティア』、前掲、146頁

いう話を聞いたことがある。また、独身のサラリーマンのなかには、立体ホログラムで映しだされる可愛らしい女性のAIキャラクターと「同居」している者もいる［★18］。毎日、優しい言葉をかけてくれる「彼女」のおかげで寂しく孤独だった生活が明るくなり、恋愛感情がめばえて活力が出てきたという。こういった「デジタル花嫁」はすでに市販されている。

確かに、ICTエージェントが癒しを与えてくれる可能性はあるし、デジタル花嫁という存在を頭から否定するつもりはない。だが、そういう風潮が一部にあるからといって、「近未来社会では、ロボットと対等に恋愛することがごく普通になる」などと主張するのは、あまりに短見というものだ。とりわけ、「ロボットが人間を救う」といったロボット業界関係者の声は、浅薄なセールストークとしてしか響かない。むしろ、本物の人間ではなくデジタル花嫁しか愛せないような、疎外された存在を生みだしている現代の社会状況を批判的にとらえるべきではないであろうか。

人間は、社会的な相互関係のなかで生きていく。互いに愛しあったり傷つけあったりしながら煩悶して生きていくのが人間という存在であり、そのプロセスでわれわれは本物の愛情や憎悪を知り、成長することができる。デジタル花嫁と同居している人物は、心のどこかで「彼女に何をしようと、別に傷つくわけでもないし、電源を切れば消えてしまう」と秘かに認識しているのではないか。それほどに、互いに傷つけあう恐怖が強いのだと推量される。たとえペットであっても、生き物は傷つく。長期入院の子供たちがペットと接触できないのも、逆から見れば、細菌やウイルスが生物と機械とを完全に識別するからだ。生物と機械の同質性を信じ、機械的なサイバー空間のなかに生命活動を押し込めようとするのは人間だけである。だがそもそも人間は太古から、他の生物（人間）と共生してきたはずではないのか。

基礎情報学においてＡＩやロボットを疑似生命的な主体と見なさない理由は、主に二つの危険があるためだ。ＩＣＴエージェントは、原島の分類において、①他律的なもの、もしくは、②非律的なものの、いずれかに対応する。ただし現実には両者の中間が多く、ＡＩやロボットは通常、他律的な面と非律的な面をともにもっている。

まず、他律的な面に着目しよう。このとき第一の危険が生まれる。ＩＣＴエージェントが表向き自律的に振る舞い、主体的に判断しているようで、実はその背後で人間（設計者や管理者など）がその作動を操作できるのだ。たとえば、可愛らしいロボットが話しかけてくる内容は、特定の商品を買わせるためかもしれない。あるいは、政治思想や健康状態を調査する誘導質問かもしれない。上手に設計すれば、インターネットに結ばれたＡＩやロボットを裏で操作することは簡単であり、しかも企業や政府にとって、そういったニーズは高いはずだ。これはハラリの懸念する陰鬱な近未来格差社会へと至る道ではないか。「癒し」が「洗脳」に転化する可能性は常に存在するのである。

第二の危険は、高度なＩＣＴエージェントの機能があまりに複雑化して、非律的な面が増大した場合である。深層学習のような学習機能をもつＡＩでは、しばしばその出力が予測を超え、正しいのか誤っているのか設計者にも分からないことがあると言われる。ソフトウェアのバグ（誤謬）だの、サイバーテロだのの恐れもないではない。ＡＩやロボットがまったく予測できないような滅茶苦茶な挙動をしはじめたら、一体どうすればよいのであろうか。「人間より賢いＡＩ」に判断を任せているとすれば、これはＳＦ的な悪夢につながる。人間を癒すためのＩＣＴエージェントの行為が、

［★18］毎日新聞朝刊、２０２０年4月19日付け

死傷事故を起こしたら誰が責任をとるのであろうか。

以上のように、機械であるＩＣＴエージェントをいたずらに疑似生命化し、主体として社会的に位置づけることは危険が大きすぎる。ＡＩ時代には、この点をきちんと認識し、むしろ人間の思考やコミュニケーションをたすけるメディアとして、ＡＩをいかに使いこなすかに専心すべきであろう。具体的には、成果メディアに関する、より踏み込んだ精密な研究が大切になってくる。情報学とは身体と心を結ぶ学問的回路なのだ。そのための、基礎情報学展開の第二キーワードである「情動」にかかわる先駆的な研究を一つ紹介しよう。

ルーマン社会理論をはじめネオ・サイバネティクスでは従来、成果メディアは社会システムに適用され、「真理」「貨幣」「権力」「愛」など、異なる成果メディアをもつ複数の多様な社会システムが同時に並立するモデルが用いられてきた。だが成果メディアは共時的／短期的なコミュニケーションだけでなく通時的／長期的なプロパゲーションにも適用できる。成果メディアを拡張し、人間の心的システムの長期的な変容や発展を分析したのが、大井奈美による論文「意味の回復による喪失体験の価値の反転――心的システムの発達モデル」［★19］である。そこでは、人生における衝撃的な喪失体験、具体的には家族や恋人など身近な人との別離や死別といった出来事を通じて、個人の心的システムがいかに変容していくか、またいかに自己超越が可能になるかに焦点があてられる。

フロイトは、われわれを苦しめる喪失体験がもたらす心の痛みを二つに分類した。すなわち「悲しみ（悲哀）」と「メランコリー（抑鬱）」である。前者は失われた対象を意識しているが、後者はそれを意識していない状態に他ならない。悲しみによって自殺する者はいないが、メランコリーによって自殺する者は後を絶たないと言われる。なぜならメランコリーが、無力感どころか自己否定感まで引き起こすからだ。では、どうすればメランコリーを悲しみに移行させることが可能になるであろうか。大井は、『誰』と指し示すことができる対象自体というより、その誰かとの関係において生じる意味や価値こそが失われた『何か』に相当する」「意味の次元すなわち心に目を向けて失われた意味や価値を自覚することが課題となる」[★20]と述べ、基礎情報学をもとに自覚の方途をさぐろうとする。

　このために大井は、心的システムのありさまを四つのモードに分類し、モードごとに相異なる成果メディアにもとづいて思考コミュニケーションが実行される、というモデルを提示する。本論文の創意は、単一の心的システムの作動つまり思考内容が、成果メディアの切り替えによって時間的に変容していくモデルを構築したことにある。

　四モードの詳細については論文を参照していただきたいが、概要は次の通りだ。「Ⅰ：身体的観察者」「Ⅱ：感情的観察者」「Ⅲ：自立的観察者」「Ⅳ：内部観察者」という各モードの成果メディアはそれぞれ、「同一性」「理想性」「唯一性」「超越性」である。喪失体験をもつ心的システムは、ⅠからⅡ、Ⅲ、Ⅳと変容するが、これは喜悦と安定の状態（Ⅰ）から、喪失後のメランコリー（Ⅱ）、次に悲しみ（Ⅲ）をへて、最後に共感としての愛《かな》しみ（Ⅳ）へと進化していく様子に対応している（図6）。

　ポイントはⅡからⅢ、さらにⅣへの移行に他ならない。自分自身の唯一性に気づき、喪失体験を

[★19] 大井奈美「意味の回復による喪失体験の価値の反転——心的システムの発達モデル」、『社会情報学（特集　ネオ・サイバネティクス）』、第8巻、1号、２０１９年（www.ssi.or.jp/journal/pdf/Vol8No1.pdf）
[★20] 同右論文、52頁

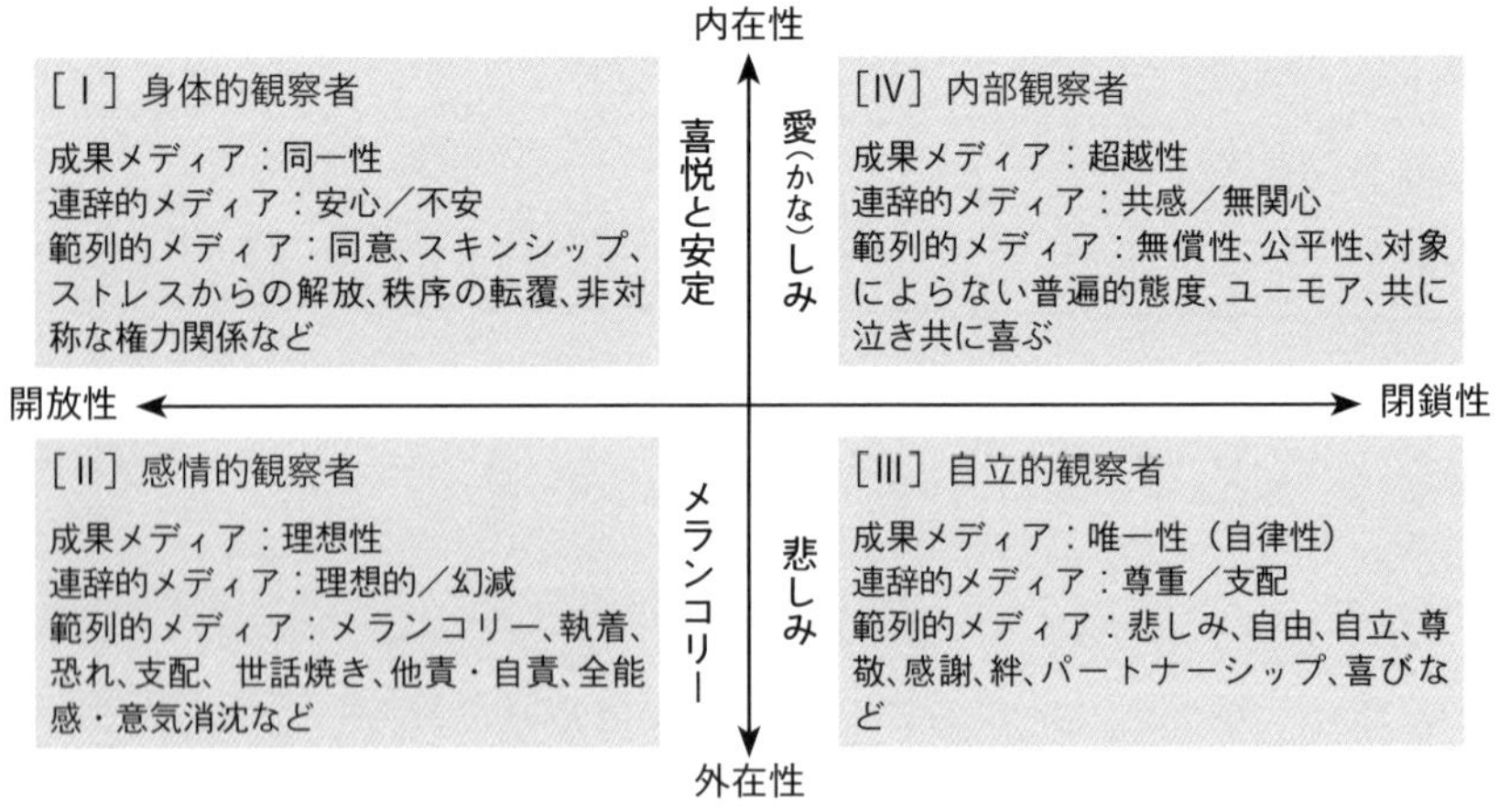

図6　心的システムの4モード（大井奈美2019より）

ふまえていたずらな理想を捨て、全体的な生の意味を構成することで、感情的観察者（Ⅱ）は自立的観察者（Ⅲ）にたどりつく。さらに、心的システムは、自律性・閉鎖性を保持したままで、それを超越するように他のシステムに内在的観察をおこなう内部観察者（Ⅳ）にまで到達することもできる［★21］。共感、つまり同様に苦しむ他者の苦しみを自分のものとして内在的に体験することこそ、内部観察者（Ⅳ）の成果メディアのはたらきなのである。

　はたしてAIやロボットが、具体的にこのような成果メディアの一部としていかなる役割を果たせるかは、今後検討しなくてはならない課題である。大井の論文では単に指針が示されたにすぎない。とはいえ、複雑な人間関係に悩む多くの現代人にとって、右のような議論は示唆に富むものと言えるのではないであろうか。

6・5 AIのコントロール

AIがメディアとして人間の思考活動を補助する際、最大の論点は「責任の所在」である（責任にも倫理的責任と法的責任があるが、前者は後者のベースとなるので、ここでは前者に焦点をしぼろう）。いったいAIの誤判断によって巨額な損害や人身事故など起きたとき、責任の帰属先が不明確なら、補償はどうなるのであろうか。自動運転車にはねられたら、被害者は泣き寝入りしなくてはならないのか。AIがデータを処理した結果にもとづいて人間の思考が媒介され、社会が運用されていくとき、この問題は無視できない。きちんと制度設計されないかぎり、AIのメディアとしての活用は頓挫してしまうであろう。

すでに述べたように、現在のAIは統計的な推測をおこなうので、誤りが必ず発生する。さらに現実には、（スーパーインテリジェンスをもつ汎用の単体AIなどでなく）複数の専用AIが相互にネットワークで連結されて作動するようになるであろうが、この場合、あるAIの出力が別のAIの入力となることもある。ゆえに、誤りを特定する作動分析は非常に難しくなる。たとえば、政敵を誹謗中傷するフェイク・メッセージがどこかで自動生成されインターネットでバラ撒かれるとか、工場の大規模な製造システムのどこか一部の誤動作によって売り物にならない商品が大量にできてしまうとか、病院の介護システムのもとで作動する治療用ロボットが誤入力のために入院患者を死

［★21］同右論文、60頁

傷させてしまうとか、いくらでも可能性は考えられる。この喫緊のテーマについて論じているのが、基礎情報学展開のキーワードの一つである社会倫理の研究者である河島茂生による「ＡＩネットワーク状況下における集合的責任――ネオ・サイバネティクスの理論に基づく電子人間批判を交えて」という論文である。つづいて著書『未来技術の倫理』では、このテーマがより広く検討された[★22]。

近代社会では個人は自由意思をもつとされるため、個人が集まってつくる法人（社会的組織）とともに、なした行為についての責任の帰属先は個人となる。したがって、原則として、個人や法人が責任を負い、刑事罰をうけたり被害者に賠償したりすることになるのだが、人間の行為とＡＩをふくむデジタル技術が分かちがたく結びついた〝人間＝機械〟複合系においては、事実上、責任の所在が曖昧となるケースが多い。ＡＩと人間が「群」となって作動するからである。このとき、「集合的責任（collective responsibility）」という制度構築によって問題を解決しようというのが河島の提案である。

つまり、「ＡＩネットワークが組み込まれた社会システムそれ自体が一種の道義的責任を担い、損害を被った人に補償していく制度」を構築せよという提案だ。過失のありかが分からないようなケースでは、誰かの罪を問うというより、ＡＩネットワークを基盤技術としている社会全体の問題だと受けとめ、税金や保険、業界団体の拠出金などを財源として、いわゆる無過失補償制度を確立するのも一案だとする。そうすれば、被害者を救済するとともに、ＡＩ技術の開発者・利用者の萎縮をふせぐこともできるはず、という議論なのである。

もっとも常に集合的責任に帰せられるわけではない。自動運転車の設計ミスや整備不良による事故など、製造物責任や運用責任を問われるケースもあり、その場合は集合的責任に転嫁するのではなくＡＩの開発・運用に従事する個人や法人が責任を問われることは言うまでもない。できるだけメディアとしてのＡＩの透明性を高め、原因の特定化を可能にする努力も求められる。集合的責任とは集合知と対になる概念であり、あくまでも事故を起こした判断や行為を、ある個人／法人に特定することが困難な場合の問題解決手段に他ならない（集合知については、拙著『集合知とは何か』［★23］を参照）。そこでは、メディアとしてのＡＩをふくむ社会システム（ＨＡＣＳ）が道徳的行為者となるわけだ。

　こういう提案は、なるべく早く制度的な検討を始めるべきものではないであろうか。

　ところで、この論文において河島は、２０１７年にＥＵ議会に提案された「電子人間（electronic persons）」をきびしく批判している。これは簡単にいえばロボットに法的人格をあたえ、責任を帰属させるようにする、という提案である。提案書には「最も洗練された自律型ロボットは電子人間の地位を得て、そのロボットが成した功績や損害の責任を引き受ける」と記されている。メディアとしてＡＩを用いるという見地からすれば、この提案は認めがたいものである［★24］。

　電子人間という概念は、明らかに、人間以外の物質にも知性が宿りうる、というトランス・ヒューマニズムの思想をふまえたものだ。こういう考え方は、欧米では一般の人々のあいだで根強いの

［★22］河島茂生「ＡＩネットワーク状況下における集合的責任——ネオ・サイバネティクスの理論に基づく電子人間批判を交えて」、『社会情報学（特集　ネオ・サイバネティクス）』第8巻、1号、２０１９年。(www.ssi.or.jp/journal/pdf/Vol8No1.pdf)、および河島茂生『未来技術の倫理』勁草書房、２０２０年

［★23］西垣通『集合知とは何か』中公新書、２０１３年

［★24］Delvaux, M. *Report with Recommendations to the Commission on Civil Law Rules on Robotics*, 2017, 59-f.

である。宗教的／文化的な背景については、拙著『ＡＩ原論』［★25］を参照していただきたいが、それなりの説得性と深みがあることも否定できない。

とはいえ一方、電子人間という提案に対しては、欧米のＡＩ研究者や企業家、法律、医療、倫理の専門家のあいだで強い反対の声があがり、公開書簡をつくって署名を集めているらしい。反対の理由としては、ＡＩ技術にたいする過信や、問題が起きたときの関係者の責任逃れがあげられる。一部自動化されたとはいえ、現在のＡＩの内部アルゴリズムには多様な方式や調整パラメータがあり、その選択は人間の担当者に任されている。ロボット自体に責任を負わせるなら、関係者や利用者は免責されることになる。さらにまた、人間をＡＩやロボットと同列に扱うことは、やがて人間の機械部品化をもたらすことになるであろう。これこそは、トランス・ヒューマニストであるフロリディの描く近未来社会の情報圏にひそむ危険性に他ならない。

それにしても、電子人間という提案が公式にＥＵ議会に登場したということは、それ自体、驚くべきことではないであろうか。ここで問うべきは、日本でなぜこういう論争が起きないのか、という点なのだ。マスコミでもそれほど注目されなかったようだし、一般の人々のあいだではほとんど話題にすらなっていない。

つまりこの国では、「機械は人格をもつのか」とか「生物と機械は同質なのか」といったテーマに、ほとんど関心が集まらないのだ。専門家の興味は主にＡＩ技術とそのビジネス応用にしぼられている。だがもし仮に、電子人間という提案がＥＵ議会で採択されたら、日本社会はどう反応するであろうか？――海外ではそうなっているのだから、法制度を急いで整備せよ、ガンバレ、という声があがりそうだ。応援団として早速、科学技術進歩の信仰に凝り固まったノーベル賞受賞者あたりにお呼びがかかる。だが海外に遅れるなと駆け出す前に、まず「自律性とは何か」を深く考察すべきではないのか。

すでに述べてきたことだが、基礎情報学では、自律性の定義として「生物的な自律性（radical autonomy）」を採用する。これはネオ・サイバネティクスとくにオートポイエーシス理論にそった理論的な定義だ。普通われわれが自律的という言葉を使うとき、それは、自由意思にもとづき責任をもって行動するといった、より狭い実践的な定義で使うことが多いが、これは「社会的な自律性」である。生物的自律性は社会的自律性の前提であり、必要条件ということになる。それゆえ、生きていないロボットが自律型機械であるはずはない、という結論に至る。ＳＦファンをはじめ、この主張に納得できない人もいるであろうが、最大の問題は議論が盛り上がらないことだ。この国ではそういう議論自体、人々が興味をもたない「真空地帯」なのである。ハラリの予測する「データ教による超格差社会」が到来する恐れは、（理論的なものでなく）主にこの無関心な社会風潮に由来する。だから今、ＡＩ時代を迎えてもっとも大切なのは、機械と人間の自律性をめぐる徹底した議論である、といっても過言ではないであろう。

6・6　ＡＩ時代の自律性

河島が編集したアンソロジー『ＡＩ時代の「自律性」』[★26]はまさに、このニーズに応えようと

[★25]『ＡＩ原論』、前掲、２０１８年

するものである。そこでは、基礎情報学の知識を十分にもつ寄稿者たちが、白熱した討論をおこない、あえて一歩離れたところからＡＩ・ロボットの自律性を多角的に論じた結果があつめられている。

序章と第Ⅰ部の諸論文は精確にポイントをついたものだが、内容が本書の議論と重複する部分が多いのでここでは省略する。とくに読者にとって刺激的なのは、第Ⅱ〜Ⅲ部の諸論文ではないかと思われるので、以下、簡潔に紹介していきたい。

まず谷口忠大の論文「ロボットの自律性概念」(同書、第三章)だが、これは同書のなかでも、もっともＡＩ・ロボット研究者の工学的注目を集めるものではないであろうか。谷口自身、ロボットの実作者であり、「記号創発ロボット」の開発ですでに当該分野では知られた研究者である[★27]。

谷口はまず、自律性の概念を拡張しようとする。つまり、生物的自律性の有無でデジタル的にＹＥＳ／ＮＯの判定をくだすのでなく、周囲環境のなかでどれだけ長期的に人間の介入なしに作動できるか、という「程度」によって自律性をアナログ的にとらえようとするのだ。その程度が高いほど優れた自律ロボットだと見なすのである。さらにまた、ロボットの内部に、意思決定をおこなう主体的な観察者視点を仮定し、その認知モデルを設計しようとする。これは、生物が周囲環境の対象を予測可能なように単純化し、意味／価値をもつ主観的な世界を構成して行動するというネオ・サイバネティカルな面を具現化するモデルだと言ってよい。そして、そういう認知モデルを内蔵するロボットは、学習をおこない、環境にどれだけ適応し活動し続けられるかという評価をふまえて、自律性の程度を向上させていく。

このような記号創発ロボットは、基礎情報学のＨＡＣＳの議論から影響をうけており、確かに共通の点が少なくない。「自律ロボットは長い時間を掛けて、ラディカル・オートノミーへと漸近する」と谷口は言い切る。むろん、製作されたロボットが生物的自律性（ラディカル・オートノミー）をそなえてはいるとはまだ言いがたい。しかし谷口は、ＡＩやロボティクスの研究とネオ・サイバネティクスの研究が有機的に相互作用することが必要だと考えるのである。傾聴に値する主張ではないであろうか。少なくとも、ＡＩやロボットの工学研究者がこういう問題意識をもつことは、近未来の研究開発に有益な方向性を与えるはずである。

次に椋本輔は、一般の人々が一体なぜ機械のなかに自律性があると信じこむのか、というテーマに正面から踏み込む。これは谷口とは逆の外側からのアプローチだ。その論文「擬自律性はいかに生じるか」（同書、第四章）において、椋本は有名な「グーグルの猫認識」とともに、「蛇の回転錯視」という錯覚の例をあげている。

グーグルの猫認識とは２０１２年に深層学習の成果として発表され、「ＡＩが猫という概念を獲得した」と、マスコミでセンセーショナルに宣伝されたものである[★28]。とりわけ、猫の特徴を

[★26] 河島茂生（編著）『ＡＩ時代の「自律性」――未来の礎となる概念を再構築する』勁草書房、２０１９年

[★27] 谷口忠大『コミュニケーションするロボットは創れるか』ＮＴＴ出版、２０１０年、ならびに、谷口忠大『心を知るための人工知能』共立出版、２０２０年、などを参照。

[★28] Quoc, V. Le, et al. Building High-level Features using Large Scale Unsupervised Learning, *Proc. 29 th International Conference on Machine Learning*, Edinburgh, 2012.

学習したＡＩにより自動生成された画像が、人間から見ても猫の顔に見える、という点が、人々の間に大きな驚きを巻き起こしたのである。また、「蛇の回転錯視」は２０１８年に発表された国内の研究成果で、静止画があたかも動いているように見える錯覚現象が、人間と同じく、深層学習によるＡＩにおいても生じた、と全国紙などで報道された[★29]。この種のマスコミ報道から、あたかもＡＩが人間から独立して錯視をふくむ認知能力をもつようになった、と考えた一般人もいたのではないか。少なくとも、機械による生命的機能の実現例だと信じた人々は多かったであろう。

しかし、椋本はこれらの技術的内容を仔細に分析し、そういう判断を早計だとする。そしてＡＩのベースとなっているデジタル・コンピュータは「必ず人間による意味解釈が前提された〝人間＝機械〟複合系として存在している」と結論づけるのだ。機械の擬自律性というイリュージョンは、「観察者である我々がそのように解釈した際に、はじめて生じている」と断じるのである。この論文は、生物と機械の異同を論じるとき、そこに「判断している人間がいる」という枢要な事実を浮かび上がらせるものと言えるであろう。この指摘はさらに、最近話題をあつめている「ＡＩによる芸術作品の創造」にもヒントを与えるはずである（前述のように、「芸術（美）」は基礎情報学展開のキーワードの一つだが、これについては拙著『ＡＩ倫理』を参照）[★30]。

生物的自律性をふまえて、さらに人間の社会的な自律性に向かって議論を進めるのが、ドミニク・チェンの論文「他者と依存し合いながら生起する社会的自律性」（同書、第五章）である。

チェンの議論には、人間の自由をデジタル技術によって抑圧するのでなく、むしろ開花させていくべきだ、という強い方向性が感じられる。つまり、他者を機械的に制御可能だと考えることを最大の脅威と見なしたサイバネティクスの創始者ウィーナーの思想や、非生命的／客観的な物理（プレロマ）世界よりも主観的な生命（クレアトゥラ）世界を重視したベイトソンの思想を、理論と実践の両面で引き継ごうとする志が、その議論からいきいきと感得されるのだ。

この論文においてチェンはまずヴァレラの足跡に注目する。ヴァレラはマトゥラーナとともにオートポイエーシス理論の創始者だが、ついで「エナクティブ（enactive）認知科学」を提唱し、身体感覚と一体になった認知世界（心）について検討した。その過程で、仏教の縁起（因縁生起）に着目し、心的システムの自律性を周囲環境との相互作用のなかでとらえようとしたことは、名著『身体化する心（*Embodied Mind*）』［★31］などでよく知られている（同書を基礎情報学から論じた拙論文「日本情報社会の倫理」［★32］を参照）。そこで浮かび上がる心の自律性とは、共依存的／間主観的なものであり、周囲の人々との社会的コミュニケーションによってその内実は変化しうるのだ。ヴァレラの自律性概念は共時的（短期的）なものだが、それは通時的（長期的）なプロパゲーションとしても有効であろう。前述の大井奈美の論文「意味の回復による喪失体験の価値の反転――心的システムの発達モデル」もこのことを示している。

こうしてチェンは、社会的自律性というものを「意味（価値）を決定するロジックを自ら作り出し、

［★29］日本経済新聞朝刊、2018年3月26日付け、および、朝日新聞朝刊、2018年3月30日付け、など。
［★30］『AI倫理』、前掲、2019年、第7章
［★31］Varela, F. et al. *Embodied Mind*, opt. cit., 1991.［『身体化された心』、前掲、2001年］
［★32］西垣通「日本情報社会の倫理」、西垣通＋竹之内禎（編）『情報倫理の思想』NTT出版、2007年、所収

それをもって他者や環境と相互作用を続けられる状態」ととらえるのである。そして、生命的な共進化（クレアトゥラ）の社会モデルへと進むために、社会的自律性のモデルをつくろうとする。

注目すべきことは、チェンが理論的研究者であるとともに、ＩＣＴ開発の実践家でもあるという点だ（悩みを打ち明けあうインターネット対話システム「リグレト」や、スマートフォンで写真を共有できる「ピクシー」の開発者でもある）。まさにそうした努力は、ＡＩのような高度ＩＣＴを「メディア」として活用するアプローチの実例と言えるのではないであろうか。近著『未来をつくる言葉――わかりあえなさをつなぐために』［★33］にはその議論がより詳しく述べられている。関連して、基礎情報学の理論をふまえたＩＣＴ開発の実践家としてＮＴＴの研究者である渡邊淳司の活動［★34］も注目に値する。チェンと渡邊はウェルビーイングの共同研究者でもある［★35］。

ＡＩのもたらす社会的効果は多様である。なかでも一般の人々の最大の関心の一つは「いったい職場はＡＩでどう変わるのか」ということではないであろうか。ＡＩが労働環境に与える影響は無視することができない問題である。数年前から「ＡＩが人間から職場を奪う」という言説がセンセーショナルに宣伝されてきた。基礎情報学の観点から経営学を研究している辻本篤の論文「組織構成員の自律的思考とＡＩをめぐる実証的分析」（同書、第六章）は、これに対する一つの解答となるかもしれない。

経営学者らしく、バーナードの組織論から出発して、辻本は職場で働く人にとって自律性とは何かを問いかける。そして、個人が職場で「意識していない状況」をいかに発見するか、つまり、自分の職務職責にかかわる事柄に関していかに個人の「気づき」があるか、ということが自律性の焦点だと論じる。ＡＩのデータ処理結果を参照して、人間の「気づく機会」が創出され、新たな思考が生まれれば、組織の構成員は「自律的に思考できている」と見なせるであろうというわけだ。

こういう前提に立って、辻本はＡＩが導入された職場で２０１９年に構成員二百人あまりの集団に対してアンケートをおこない、実態を調査した。一般論として、基礎情報学にもとづく社会調査研究は期待される分野ではあるが、まだ実績は十分積み上げられていない。パイロット的な段階にあるのだが、その点でも興味深いと言える（詳しくは社会心理学の専門家である北村智と柴内康文による論文「基礎情報学と社会調査研究の架橋可能性――社会心理学的メディア研究の視点からの接近」［★36］を参照していただきたい）。

調査の結果は、かなり意表をつかれるものだ。ＡＩを利用するようになって、いかなる変化が起きたと職場の構成員は思っているであろうか？――「自ら考えることが多くなった」とか「自分の職務経験を振り返ることが多くなった」とか答えている人は、何と七割近くに及んでいるのだ。さらに、「新しい着想が湧きやすくなった」と思う人の割合は七割を超え、また「人間らしく創造的に働けるようになった」と思っている人も七割近くいるという結果が得られたのである。また、興味深いことに、ＡＩが提示する情報に関しては、「信頼している」が八割近いものの、一方で、「完

［★33］ドミニク・チェン『未来をつくる言葉――わかりあえなさをつなぐために』新潮社、２０２０年
［★34］渡邊淳司『情報を生み出す触覚の知性』東京化学同人、２０１４年
［★35］渡邊淳司＋ドミニク・チェン（監修・編著）『わたしたちのウェルビーイングをつくりあうために』ＢＮＮ新社、２０２０年
［★36］北村智＋柴内康文「基礎情報学と社会調査研究の架橋可能性――社会心理学的メディア研究の視点からの接近」、西垣通（編）『基礎情報学のフロンティア』、前掲、２０１８年、所収

壁は求めない」が七割近くいるし、「必ず裏をとらねばならないと思う」と答えた人が七割を超えているのである。詳細な調査結果は論文「組織構成員の自律的思考とＡＩをめぐる実証的分析」［★37］を参照されたい。

大量データを高速処理できるＡＩは知能が高く、仕事を奪われた人間は愚かになっていく、というのは悲観的なＡＩ未来論である。だが、辻本の調査結果からは、ＡＩの職場への導入によって職場の構成員の「気づき」が増し、自律性が向上していく、という逆の傾向が見られる。さらに、ひとまずＡＩを信頼するにせよ、そこには誤りもあるだろうから留意しようという慎重さもうかがえる。むろん、職場へのＡＩ導入はこの国ではまだ初期段階だし、辻本の実態調査はほんの一端にすぎないが、希望を抱かせる結果と言ってもよいのではないか。

6・7　次世代の情報教育

結論をまとめておこう。本章で縷々述べてきたように、理論的には、ハラリの予測する暗い未来社会は避けられる。九十九パーセント以上の人間が、データ教の神であるＡＩとそれを操る一部のエリート層（ホモ・デウス）に支配されて機械部品以下の存在におとしめられる必然性など、本来はまったくないのだ。

しかし一方、ハラリの懸念が実現する危険も大いにある、と警告しなくてはならない。理由は、とくにこの国では、情報文明の本質をただしく把握しようとする人がほとんど存在しないからである。ほぼ全員が、サイバネティック・パラダイムを軽視してコンピューティング・パラダイムのみにとらわれ、「〝情報〟イコール〝コンピュータ〟」だと信じこんでいる。ＡＩやロボットなど高度ＩＣＴの専門家だけでなく、各界のリーダー層、そして一般の人々も皆同様だ。残念ながら、これは事実と言わねばならない。

文理を問わず日本の学者のほとんどは、ネオ・サイバネティクス／基礎情報学を知ろうともせず、それで何の問題もないと考えている。ゆえに、西洋文明を源流とするトランス・ヒューマニズムと、それがもたらす偽-情報学的転回の恐ろしい脅威にたいして鈍感だし、それに対抗する意欲も論理ももっていない。知識人からでさえ「機械翻訳によって近々、翻訳者は要らなくなる」といった声が聞こえてくるのはその証拠だ。彼らは、高度ＩＣＴは経済成長をうながし、社会を幸福にすると無邪気に思い込んでいる。このため、ハラリの陰鬱な予測が的中する可能性は高くなってしまう。

したがって、とりあえず不可欠なのは、高度ＩＣＴとくにＡＩの限界を指摘することであろう。そう考えると、前述の「東ロボくん」プロジェクトの意義も分かってくる。

くりかえしになるが、言葉や画像などの「意味」をＡＩが理解できないというのは、何十年も前からＡＩ研究者の間では常識だった。フレーム問題や記号接地問題も未解決のままなのである。したがって、今さらそんな自明のことを研究成果としてかかげる理由は分かりにくい。とはいえ一般の人々に向かって、やや乱暴な議論にせよ「ＡＩは頭がいいって言うけど、東大に入れるほどじゃないんだよ」と示したこと、そして「シンギュラリティなんて来ないよ」と説得したこと、それらの啓蒙的な意義はきわめて高いと言えるであろう。

［★37］『ＡＩ時代の「自律性」』、前掲、２０１９年、２００、２０２、２０４頁

ただし、東ロボくんの研究成果の応用について、誤解を招きやすい点があることも指摘しなくてはならない。ベストセラー『ＡＩ vs. 教科書が読めない子どもたち』の前半には東ロボくんの奮闘記が書いてあるが、後半はこの結果をふまえて、プロジェクト・リーダー新井紀子を中心におこなわれた基礎読解力調査に関する議論が記されている。これは、全国の中高生約二万五千人に対し、数行くらいの短い論理パズルを解かせ、基礎的読解力を調査したものだ。

たとえば、「Alex は男性にも女性にも使われる名前で、女性の名 Alexandra の愛称であるが、男性の名 Alexander の愛称でもある。このとき、Alexandra の愛称は、①Alex、②Alexander、③男性、④女性、の四つのうちどれか？」といった類の論理パズルである[★38]。正解はむろん①なのだが、中学生の正答率は38パーセント、高校生でも65パーセントにとどまったという。こういった調査結果をもとに、新井は「高校生の半数以上が、教科書の記述の意味が理解できていません」と述べ、日本人の教科書読解力は決定的に不足していると指摘する[★39]。そして、ＡＩが人間の仕事を奪うという迫りくる危機を乗り越えるために、若者の論理的読解力を訓練する必要性を説く。そうすれば、ＡＩは文章の意味を理解できないのだから、人間はＡＩより優位に立てるであろうという理屈だ。

新井の懸念はよく分かるし、論理的読解力の訓練もきわめて大事ではある。だが、その延長で、「中高生の国語教育では、文学的文章より実用的な論理的文章の読解に重点をおくべきだ」という主張が出てくるとすれば、これは進むべき方向がまったく逆であろう。高校の教科「現代文」を「論理国語」と「文学国語」に分ける改革を文部科学省はおこなうようだが、そこには「意味」というものに対する基本的な浅慮短見がある。ＡＩに対抗するには、若者はむしろ文学的な文章に多くふれ、共感的読解力と大局的洞察力を鍛え上げなければいけない。文章の真意をつかむには、表面的／局所的な論理の整合性よりも、逆説や諷刺などをふくむ長文の裏にある、作者の心情や籠められた思いを見抜く感性がいっそう大切なのである。

ポイントを整理しておこう。

数行くらいの簡単な論理パズルなら、たとえ現在は困難でも、近々ＡＩが解けるようになる可能性は十分にある。デジタル・コンピュータとは本来、四則演算専用の計算機械ではなく論理演算機械である。文章の真の意味を把握できなくても、形式的な論理操作はコンピュータの得意技であり、辞書的意味と記号との紐づけや短文の構文解析は可能なのだ。Alex のパズルくらいなら、上手な自然言語処理用ＡＩは正答できるのではないか。一方、回答者の中高生が戸惑ったのは、文脈抜きの論理パズルなど日常生活でまったく不要だからである。仮に中高生が Alexandra という女性が登場する小説を読んでいるとしよう。小説のなかで誰かが親しげに彼女に「Alex」と呼びかければ、大半の中高生は間違いなく Alexandra のことだと理解するであろう。そしてたちどころに、一種の親愛の情があると感じとるはずだ。他方、いかに高度なＡＩでも、Alexandra はじめ登場人物の気持ちに深く共感することなどできない。

本書で述べてきたように、「意味」とは本来、生きていく文脈／状況のなかに埋め込まれた価値のことである。だからこそ、生き物ではないＡＩには、記号を論理的に処理できても文脈把握ができ

［★38］『ＡＩ vs. 教科書が読めない子どもたち』、前掲、２０１８年、２００〜２０１頁

［★39］同右書、２２８、２７２頁

きず、意味理解が不可能なのだ。要するに、AI時代に生きるためには、感性をみがき、他者の気持ちを直観できる能力が大事なのである。人生の喜怒哀楽への想像力を欠き、契約書のような実用的文章を形式的に手早く論理処理するだけの、コンピュータのような人間が日本列島にあふれたらどうなるのか。間違いなくそれは、ハラリの懸念する陰鬱な未来社会の姿である。

疫病《えきびょう》が広がり地球環境がますます汚染されていく今、いったいわれわれは、AIをはじめICTをいかに活用していけばよいのか?——道は二つに分かれる。第一は、人間性の機械的抑圧に目をつぶり、ICTをひたすら効率向上のツールとする道。第二は、生命的価値を見つめ直し、渡邊の触覚研究[★40]が例示するように、ICTを知覚と人間性を豊かに開花させるツールとする道である。現在われわれは目先の経済効果にとらわれ、第一の道を進んではいないか。

ちなみに、文部科学省は、小中学校からプログラミング教育を強化する計画のようだ。これ自体は決して悪いことではない。だが、大規模ICTシステムを開発した筆者の体験から言えば、複雑なプログラムの作成には適性があって、誰でもできるわけではないのである。

ICTエンジニアの職場がいかに過酷なものか、一般の人々は知っているのであろうか。多くのプログラマやSE(システムエンジニア)が、過大なストレスのなかで心身の不調に悩まされている。鬱病やコミュニケーション障害に悩むエンジニアは無数にいるし、さらに心身症、胃腸障害、痔疾など各種の体調不良を訴える場合も少なくない。この方面の研究はまだ十分ではないが、たとえば、失感情症についての心理学的な報告もある[★41]。AIの本格的活用が始まれば、ICTエンジニアの負荷は一挙に増大するであろう。「人間の代わりにAIが仕事を全部してくれる」などはSFめいた夢物語であり、現実には、ICTシステムの開発や保守運用を担当する人間が、歯を喰いしばってきりきり舞いすることになるのだ。ＩＣＴエンジニアが次々と偽‐情報学的転回による効率主義の犠牲となって倒れる、といった悲劇を防ぐためには、一体どうすればよいのであろうか。

根本的な解決策は「情報教育の拡大再編」である。プログラミングだけが情報教育ではないのだ。本書ではふれなかったが、ウェブの普及とともに再び重要性を増しつつあるアーカイブ研究・図書館情報学［★42］との多様な交流・連携も必須である。

「〝情報〟イコール〝コンピュータ〟」という狭い公式から早急に脱し、情報という概念を、「情報／コミュニケーション／メディア」という人間の心理的／社会的な関係のなかで、深く広くとらえ直さなくてはならない。さもなければ、この国のＩＣＴ職場は重圧で徐々に崩壊し、日本がソサエティ５・０やスーパーシティを実現して国際社会をリードすることなど画餅に終わるであろう。

ただし少しずつだが、情報教育を拡大再編するための努力が地道に進められていることも、また付け加えておきたい。情報システム学会では、人間を大切にする情報システムの体系的建設という観点から研究がおこなわれている［★43］。また、高校の教科「情報」の担当者である中島聡は、みずからテキストをつくって基礎情報学に立脚した授業を実施している［★44］。さらに、日本学術会議は、情報学教育の質保証のための参照基準として、基礎情報学をふまえた「情報の一般原理」を

［★40］『情報を生み出す触覚の知性』、前掲、２０１４年

［★41］三村和子「アレキシサイミア傾向を有するＩＴ技術者のストレス反応とその緩和要因」、放送大学大学院臨床心理プログラム修士論文、２０１７年12月

［★42］根本彰『アーカイブの思想』みすず書房、２０２１年

［★43］新情報システム学体系調査研究委員会（編）『新情報システム学序説——人間中心の情報システムを目指して』情報システム学会、２０１４年２月

明記した報告書を発表している[★45]。

最後に、情報学は何をめざすのかと、いま一度問い直しておきたい。情報学とは、「物質科学と人文学とをむすぶ学知」として位置づけられるのである。

現代哲学者ガブリエルは、物質科学が世界すべてを覆う学知だという現代の風潮に異議を唱え、人文学をはじめ多様な意味の場があると論じた。だが、文理を分かつ境界は曖昧で、理論上は統合性も求められる。くりかえしになるが、そもそも情報という学術的概念は、20世紀初頭に、物質とエネルギーにつぐ第三の根本概念として、観測行為を重視する現代物理学から提示されたものだ。ゆえにシャノン情報論やコンピュータ科学のように、情報はこれまで物質科学的（プレロマ的）な一分野として論じられてきた。だが、ベイトソンが直観したように、情報は生きる意味と直結しており、生命的（クレアトゥラ的）な面もあわせ持っている。ネオ・サイバネティクス／基礎情報学は、そのメカニズムを論じる学知に他ならない。

われわれが美しい花や詩や音楽で感動し、身体中に活力が湧いてくるのは、みな情報作用なのである。他者を愛し他者から愛されることで元気になったり、逆に心に傷を負って病に倒れたりする現象は、決して物質的作用だけでは説明できない。意味的な相互作用のおかげなのだ。これらは従来、人文学の領域で論じられてきたが、コミュニケーションにかかわるＡＩの実用化により、まさにＩＣＴにもとづくクレアトゥラの世界がひらかれることになる。

情報学とは、21世紀に真の情報学的転回を起こすための学知なのである。

［★44］中島聡（編著）『生命と機械をつなぐ授業』高陵社書店、2012年
［★45］日本学術会議（編）『報告「大学教育の分野別質保証のための教育課程編成上の参照基準：情報学分野」』、2016年3月（www.scj.go.jp/ja/info/kohyo/pdf/kohyo-23-h160323-2.pdf）

あとがき

本書は、基礎情報学の四冊目のテキストである。２００４年に『基礎情報学』、２００８年に『続 基礎情報学』（ともにＮＴＴ出版）を上梓した。さらに２０１２年には、平易な入門書として、『生命と機械をつなぐ知』（高陵社書店、のち藝術学舎より再版）を刊行したが、これは、学習用テキストの体裁をとりながら、右の二書では省略した重要な記述を補足したものである。

もともと、基礎情報学を提唱した目的は、情報やコミュニケーションの基礎として知られるクロード・シャノンの理論があまりに機械的な記号処理に偏していることにあった。コンピュータによるデータ処理やデータ通信に関しては、シャノンの定義にもとづく定量的議論で十分であろう。ゆえに、旧来の情報学である情報科学／情報通信工学における情報とは、シャノン理論を前提とするものだった。

しかし、情報とは本来、機械的／形式的に処理される記号だけでなく、図書館情報学が分類するように、記号の担う「意味」をふくむものである。とりわけ従来注目されてきたのは、新聞やテレビ、ラジオなどマスメディアのもたらす情報であり、その意味作用が「情報社会」という言葉で表されてきた。情報社会に関する議論は以前から、ジャーナリズム論／メディア論など社会情報学系の分野で盛んにおこなわれてきた。ただし20世紀には、こういった文系学問と理系の情報科学／情報通信工学とはいわば断絶していたのである。

だが、21世紀のインターネット時代になり、デジタル情報とアナログ情報をデータとして統合的にあつかうマルチメディア技術が発達するとともに、この断絶は大きな問題をはらむことになった。今や、意味をもつ多様な情報処理をコンピュータがおこない、テレビやラジオの番組もインターネットで配信されていく。「ヴァーチャル社会」「ネット社会」といった言葉は、この変化を象徴している。アカデミズムの世界でも、情報について文理融合のアプローチが求められるようになった。２０００年に東京大学で発足した大学院情報学環・学際情報学府はその典型例と言える。設立当初からこれに参画した筆者の研究室では、こうして、文系と理系にまたがる基礎情報学の構築がめざされたのである。

事態がいっそう顕著な展開を見せはじめたのは、２０１０年代後半に入ってからのことだ。ＡＩ（人工知能）はコンピュータが発明された20世紀半ばから研究されていたが、実用技術としては幾度も挫折をくりかえしてきた。それが、ハード／ソフトの能力向上や機械学習技術の発達によって、実用化の段階を迎えつつある。そこでは、人間とロボットが会話したり、ＡＩが外国語の翻訳をしてくれたりする。だが、はたして、一部の識者が予告するように、二〜三〇年の後にシンギュラリティ（技術的特異点）が到来し、人間より賢いＡＩがわれわれの雇用を奪ってしまうのであろうか。ＡＩを活用できるエリートをのぞき、大半の人間は無用者階級におちぶれてしまうのであろうか。

——そういう問いに答えようとする基礎情報学の源流は、１９４０年代末に提唱された古典的サイバネティクス、さらに、これを元に１９７０〜80年代以降、機械とは異なる生物特有の性質に注目するオートポイエーシス（自己創出）理論にさかのぼる。ただし、20世紀後半に着手されていた幾つかの学問的議論が、「ネオ・サイバネティクス」という統一名称のもとにまとめあげられ相互関連をもつようになったのは、ブルース・クラーク＆マーク・ハンセン（編）『創発と身体化（*Emergence and Embodiment*）』が２００９年に刊行された後、おもに２０１０年代に入ってからのことだった。それまで、多分野にわたる関連研究活動は互いにほぼ独立におこなわれており、基礎情報学も例外ではなかった。すなわち、基礎情報学は、オートポイエーシス理論の影響をうけながらも、それとはかなり異なる概念を独立して構築していったのである。だが、ネオ・サイバネティクスの諸理論と関係づけられることで、基礎情報学に斬新な展望がひらけたことはまちがいない。

したがって本書ではまず、ネオ・サイバネティクスという学問をとらえなおした。そして、記号だけでなく意味をふくむ情報をあつかう基礎情報学が、いかなるネオ・サイバネティカルな独自の特色をもつかを明示した。さらに、その議論をふまえて、人間とＡＩやロボットが複合的に協働していく際、いかなる方向をめざすべきかを模索していった。

こうした議論を通じてはじめて、ＡＩを崇拝するトランス・ヒューマニズム（超人間主義）、とりわけ、社会をデータ中心に操作して多数の人間を機械部品化していく動向を批判し克服するための方策が少しずつわかってくる。歴史家ユヴァル・ノア・ハラリのいう「データ教のホモ・デウスによる支配」という悪夢を回避する道筋も見えてくる。それが、ＡＩを人間のために真に有効活用するための大前提なのである。

ところで、原稿をほぼ書き終えた頃、新型コロナウイルス感染症（ＣＯＶＩＤ－19）による国内外の被害はきわめて深刻な状況を呈してきた。この惨状を引き起こした遠因が、急速な経済成長にともなうグローバリゼーションと地球規模の環境破壊にあるという指摘にうなずく人は多い。関連して一方、ＡＩなどのデジタル技術がパンデミックを解決するためのエースになるという声もまたあちこちから聞こえてくる。果たしてこの期待は的を射ているであろうか。

大量データの知的処理を可能にするＡＩは疫学的・医学的な分析に有用であるし、また大規模ネットワーク技術はテレワークやリモート学習を促進するであろう。だからパンデミック解決に貢献できる面も確かにある。とはいえ、それらはあくまで表層的・部分的な貢献にすぎない。今回のコロナ禍がわれわれに告げる本当に肝心な教訓は、いわゆるデジタル技術、つまり現在の機械的な情報処理だけでは、もはや人類は生存を続けていくことが困難だということなのである。つまり、われわれが生き物である以上、サイバー空間のデータ操作をもとに生命的な物理空間を効率的に統御できる、という発想には致命的な限界があるのだ。それこそが、新型コロナウイルスがわれわれに突きつけている冷厳な事実だと言えないであろうか。

だからここで、情報というものの根本的なとらえ直しが不可欠になってこざるをえない。機械的なデジタル情報以前にある生命的な情報からもう一度考え直していく知的作業は、もはや待った無し、なのである。

本書はすべて筆者が書き下ろしたが、内容的には筆者個人ではなく、むしろ基礎情報学研究グループの合作とも言える。つまり本書は、グループとしての研究成果ガイドブックでもあるのだ。紙幅がなくすべてを十分に紹介することはできないが、詳しくは注にあげた文献を参照していただきたい。

基礎情報学研究グループは、東京大学大学院情報学環・学際情報学府の（旧）西垣研究室の卒業生を中心に、関連する若手研究者が連携して構成されている。メンバーは増えつつあり、研究活動も活発だ。そこには、筆者が東京大学定年退職ののち奉職した東京経済大学コミュニケーション学部の関係者、またさらに、情報システム学会や社会情報学会の情報教育関係者もふくまれている。これらの方々のご尽力がなければ、本書は決して上梓できなかったであろう。個々のお名前は省くが、ここに心から御礼を申し上げる。また、編集の労をとっていただいたNTT出版編集部の賀内麻由子氏、企画段階からお世話になった前任者の山下幸昭氏、そして執筆期間を通じて支えてくれた家族にも、あわせて深く感謝の意を表したい。

西垣　通

二〇二一年四月

索引

あ

か

さ

た

な

は

ま

や

ら

わ

著者略歴

西垣 通（にしがき・とおる）

一九四八年生まれ。東京大学工学部計数工学科卒業。工学博士。日立製作所、スタンフォード大学にてコンピュータ・システムの研究開発に携わったのち、明治大学教授、東京大学大学院情報学環教授、東京経済大学コミュニケーション学部教授を歴任。東京大学名誉教授。専攻は、情報学・メディア論。

主な著作に、『ＡＩ——人工知能のコンセプト』（講談社現代新書、一九八八年）、『デジタル・ナルシス——情報科学パイオニアたちの欲望』（岩波現代文庫、サントリー学芸賞、一九九一年）、『マルチメディア』（岩波新書、一九九四年）、『思想としてのパソコン』（編著、ＮＴＴ出版、一九九七年）、『こころの情報学』（ちくま新書、一九九九年）、『基礎情報学——生命から社会へ』（ＮＴＴ出版、二〇〇四年）、『続基礎情報学——「生命的組織」のために』（ＮＴＴ出版、二〇〇八年）、『生命と機械をつなぐ知——基礎情報学入門』（高陵社書店、二〇一二年）、『ビッグデータと人工知能——可能性と罠を見極める』（中公新書、二〇一六年）、『ＡＩ原論——神の支配と人間の自由』（講談社選書メチエ、二〇一八年）、『ＡＩ倫理——人工知能は「責任」をとれるのか』（河島茂生との共著、中公新書ラクレ、二〇一九年）、『超デジタル世界——ＤＸ、メタバースのゆくえ』（岩波新書、二〇二三年）、『デジタル社会の罠——生成ＡＩは日本をどう変えるか』（毎日新聞出版、二〇二三年）など、主な訳書（監修）に、レジス・ドブレ『一般メディオロジー講義』（ＮＴＴ出版、二〇〇一年）、エルンスト・フォン・グレーザーズフェルド『ラディカル構成主義』（ＮＴＴ出版、二〇一〇年）などがある。

新　基礎情報学——機械をこえる生命

二〇二一年六月二一日　初版第一刷発行
二〇二四年八月三一日　初版第二刷発行

著者　西垣通

発行者　東明彦
発行所　NTT出版株式会社
〒一〇八-〇〇二三　東京都港区芝浦三-四-一　グランパークタワー
営業担当　TEL　〇三-六八〇九-四八九一　FAX　〇三-六八〇九-四一〇一
編集担当　TEL　〇三-六八〇九-三二七六
https://www.nttpub.co.jp/

デザイン　米谷豪
組版　キャップス
印刷・製本　中央精版印刷株式会社

ISBN 978-4-7571-0399-3 C0030